PETITE CONVERSATION EN

Allemand

Petite conversation en *Allemand*
© Lonely Planet Publications Pty Ltd 2007 et Place des éditeurs 2007

© Lonely Planet 2007, place des éditeurs
12 avenue d'Italie, 75627 Paris cedex 13
☎ 01 44 16 05 00
✉ lonelyplanet@placedesediteurs.com
🖥 www.lonelyplanet.fr

Responsable éditorial : Didier Férat
Coordination éditoriale : Hélène Renard
Coordination graphique : Jean-Noël Doan
Traduction et adaptation : Sabine Beilborn et Lutz Kindmann
Maquette : Marie-Thérèse Gomez

Dépôt légal
Mars 2007
ISBN 978-2-84070-622-9

texte © Lonely Planet Publications Pty Ltd 2007

Photographie de couverture
Volkswagen verte garée dans une rue pavée, de Martin Llado
© Lonely Planet Images

Imprimé en France par E.M.D. - N° dossier : 16876

SOMMAIRE

Nom : allemand

Les germanophones appellent leur langue *Deutsch* doytch.

Famille linguistique

La langue allemande se distingue par deux parlers toujours en vigueur : le *Hochdeutsch* (haut allemand) et le *Plattdeutsch* (bas allemand).

Pays concernés

L'allemand est la langue officielle en Allemagne, en Autriche et au Liechtenstein. Elle est également l'une des langues officielles de la Belgique, de la Suisse et du Luxembourg. Elle est souvent comprise en Alsace et en Lorraine, mais également en Pologne, en République Tchèque et dans d'autres pays de l'Est.

Nombre de locuteurs

Avec 100 millions de germanophones en Europe, cette langue réputée (injustement) difficile, y est plus parlée que le français et l'anglais.

Apports au français

Aspirine, chromosome, frichti, kaputt, leitmotiv, loustic, vasistas, etc., mais aussi l'inversion du sujet et du verbe dans la phrase interrogative. Sont également d'origine allemande : bourgeois, jardin, kitch (ou kitsch) et valse.

Grammaire

Fixée à l'écrit sur le modèle de la grammaire latine, l'allemand possède des déclinaisons et rejette parfois le verbe en fin de phrase.

Prononciation

La prononciation de l'allemand est assez simple pour les francophones car la plupart des sons se prononcent comme ils s'écrivent.

Abréviations

m	masculin	sg	singulier	pol	politesse
f	féminin	pl	pluriel	fam	familier

CONVERSATION
Premier contact

Salut.

(en Allemagne) pol	*Guten Tag.*	*gou·ténn tâk*
(en Allemagne) fam	*Hallo.*	*ha·lo*
(sud de l'Allemagne)	*Grüß Gott.*	*gruss got*
(en Suisse)	*Grüezi.*	*gru·é·tsi*
(en Autriche)	*Servus.*	*zer·vouss*

Bonjour.	*Guten Tag.*	*gou·ténn tâk*
Bonjour (matin).	*Guten Morgen.*	*gou·ténn mor·guénn*
Bonsoir.	*Guten Abend.*	*gou·ténn â·bent*
Bonne nuit.	*Gute Nacht.*	*gou·te nâRcht*

À plus tard.	*Bis später.*	*bis chpé·ter*
Au revoir.	*Auf Wiedersehen.*	*aof vî·der·zé·énn*
Salut.	*Tschüss/Tschau.*	*tchuss/tchao*

Basiques

Oui.	*Ja.*	*yâ*
Non.	*Nein.*	*nain*
S'il vous/te plaît.	*Bitte.*	*bi·te*
Merci.	*Danke.*	*dang·ke*
Merci beaucoup.	*Vielen Dank.*	*fî·len dangk*
De rien.	*Bitte (sehr).*	*bi·te (zair)*
Excusez-moi.	*Entschuldigung.*	*énnt·chul·di·goung*

Comment allez-vous/vas-tu ?
Wie geht es Ihnen/dir? pol/fam — vî gét ess *î*-nénn/dîr
Bien, merci. Et vous/toi ?
Danke, gut. — *dang*-ke goute
Und Ihnen/dir? pol/fam — unt *î*-nen/dîr
Quel est votre nom/ton nom ?
Wie ist Ihr Name? pol — vî ist îr *nâ*-me
Wie heißt du? fam — vî hayst dou
Je m'appelle…
Mein Name ist … pol — mayn *nâ*-me isst…
Ich heiße… fam — icH *hay*-sse…
J'aimerais vous présenter…
Darf ich Ihnen/dir — darf icH *î*-nen/dir
…vorstellen? pol/fam — … *fôr*-chté-lénn
Enchanté(e).
Angenehm. — *an*-gué-nêm

Voici mon/ma… | *Das ist mein/meine/* | das ist mayn/*may*-ne
 | *mein…* m/f/n | mayn
  enfant | *Kind* n | kinnt
  collègue | *Kollege* m | ko-*lé*-gué
 | *Kollegin* f | ko-*lé*-ginn
  ami(e) | *Freund(in)* m/f | froynt/*froyn*-din
  mari | *Mann* m | mann
  femme | *Frau* f | frao
  concubin(e) | *Partner(in)* m/f | part-nér/*part*-ne-rin

Je suis ici… | *Ich bin hier …* | icH bin hîr …
  en vacances | *im Urlaub* | im *our*-laop
  pour affaires | *auf Geschäfts-reise* | aof gué-*chefts*-ray-ze
  pour étudier | *zum Studieren* | tsoum chtu-*dî*-ren
  en famille | *mit meiner Familie* | mit *may*-ner fa-*mî*-li-e
  avec mon petit ami | *mit meinem Partner* m | mit *may*-ném-*part*-nér
  avec petite amie | *mit meiner Partnerin* f | mit *may*-nér part-ne-rin

J'ai été ravi(e) de faire votre/ta connaissance.
Es war schön, Sie/dich es vâr cheuhnn zî/dicH
kennenzulernen. pol/fam *ké·nénn·tsou·lér·nénn*

Combien de temps restez-vous/restes-tu ici ?
Für wie lange sind fur vî *lang·e* zint
Sie hier? pol zî hîr
Für wie lange bist fur vî *lang·e* bist
du hier? fam dou hîr

Je reste (4) semaines/jours.
Ich bin für (vier) icH bin fur (fîr)
Tage/Wochen hier. *tâ·gué/vo·Rchen* hîr

Pour les chiffres, consultez le chapitre **EN DÉTAIL**, p. 69.

Voici mon/ma . . . *Hier ist mein/meine. . .* hîr ist *may·*ne. . .

Quel est votre. . . ?	*Wie ist Ihre. . . ?*	vî ist *î·*re. . .
Quelle est ton. . . ?	*Wie ist deine . . . ?*	vî ist *day·*ne. . .
adresse	*Adresse*	a·*dré·*se
adresse e-mail	*E-mail-Adresse*	*î·*mayl·a·dré·sse
numéro de fax	*Faxnummer*	*faks·*nou·mer
numéro de portable	*Handynummer*	*hénn·*di·nou·mer
numéro au travail	*Nummer auf Arbeit*	*nou·*mer aof *ar·*bayt

Se faire comprendre

Parlez-vous français ?
Sprechen Sie Französisch? chpré·cHén zî *frann·*tseuh·zich

Est-ce que quelqu'un parle français ?
Spricht hier jemand Französisch? chpricHt hîr *yé·*mannt *frann·*tseuh·sich

(Me) Comprenez-vous ?
Verstehen Sie (mich)? fer·*chtay·*énn zî (micH)

Je (ne) comprends (pas).
Ich verstehe (nicht). icH fer·*chté*·e (nicHt)

Je parle un peu l'allemand.
Ich spreche ein bisschen Deutsch. icH chpré·cHe ayn *bis*·cHen doytch

Que signifie "Kugel" ?
Was bedeutet 'Kugel'? vas be·*doy*·tét *kou*·guél

Comment... ?	*Wie...?*	vî...
prononce-t-on ceci	*spricht man*	chpricHt mann
	dieses Wort aus	*dî*·zés vort aos
s'écrit "Schweiz"	*schreibt man 'Schweiz'*	chraypt mann chvayts

Pourriez-vous...,	*Könnten Sie ...?*	keuhnn·*ténn* zî...
s'il vous plaît ?		
parler plus	*bitte langsamer*	bi·telanng·za·mer
lentement	*sprechen*	chpré·cHénn
répéter cela	*das bitte wiederholen*	das *bi*·te vî·dér·*hô*·lénn
me l'écrire	*das bitte*	dass *bi*·te
	aufschreiben	aof·chray·ben

À propos de vous

D'où venez-vous ?/ D'où viens-tu ?
Woher kommen Sie? pol. vô·hér *ko*·ménn zî
Woher kommst du? fam. vô·hér komst dou

Je viens...	*Ich komme...*	icH kom·e...
d'Alsace	*aus dem Elsaß*	aos démm èl zass
du Canada	*aus Kanada*	aos ka·*na*·da
de Paris	*aus Paris*	aos pa·*riss*
Je suis...	*Ich bin...*	icH *bin* ...
célibataire	*ledig*	lé·dicH
marié(e)	*verheiratet*	fer·*hay*·ra·tet
séparé(e)	*getrennt*	gué·*trénnt*

Études et professions

Que faites-vous/que fais-tu dans la vie ?
Als was arbeiten Sie/arbeitest du? als vas ar·bay·ténn zî/ar·bay·test dou

Je suis...	*Ich bin ...*	icH bin ...
consultant	*Berater* m	*bé·ra·ter*
consultante	*Beraterin* f	*bé·ra·té·rinn*
écrivain	*Schriftsteller* m	*chrift·chté·lér*
écrivaine	*Schriftstellerin* f	*chrift·chté·le·rinn*
professeur	*Lehrer (in)* m/f	*lér rer (inn)*

Je travaille dans...	*Ich arbeite ...*	icH ar·bay·te ...
l'administration	*in der Verwaltung*	inn dér fer·*val*·toung
l'informatique	*in der IT-Branche*	inn dér ay·*tî*·brang·che
la vente	*im Verkauf*	im fer·*kaof*
le marketing	*im Marketing*	im *mar*·ké·tinn

Je suis...	*Ich bin ...*	icH bin ...
à mon compte	*selbständig*	*zelpst*·chténn·dicH
au chômage	*arbeitslos*	*ar*·bayts·lôs
retraité/retraitée	*Rentner/Rentnerin* m/f	*rennt*·nér/*rennt*·né·rinn

J'étudie...	*Ich studiere ...*	icH chtu·*di*·re ...
l'allemand	*Deutsch*	doytch
l'histoire	*Geschichte*	gué·*chicH*·té

Pour d'autres professions, consultez le chapitre **EN DÉTAIL**, p. 72.

Âge

Quel âge avez-vous ?	*Wie alt sind Sie?*	vî alt zint zî
Quel âge a... ?	*Wie alt ist...?*	vî alt ist ...
votre/ton fils	*Ihr/dein Sohn* pol/fam	îr/dayn zôn
votre/ta fille	*Ihre/deine Tochter* pol/fam	*î*·re/*day*·ne *toRch*·ter

J'ai ... ans.
   Ich bin ... Jahre alt.   icH bin ... *yâ*·re alt

Il/Elle a ... ans.
   Er/Sie ist ... Jahre alt.   ér/zî ist ... *yâ*·re alt

Pour l'âge, consultez le chapitre **EN DÉTAIL**, p. 69.

Sentiments et sensations

Je (ne) suis (pas)...	*Ich bin (nicht)...*	icH bin (nicHt)...
Êtez-vous...?	*Sind Sie ...?* pol	zint zî...
Es-tu...?	*Bist du ...?* fam	bist dou...
déçu(e)	*enttäuscht*	*énn*·toycht
fâché(e)	*verärgert*	fer·*ér*·guért
fatigué(e)	*müde*	*mu*·de
pressé(e)	*in Eile*	in *ay*·le
triste	*traurig*	*trao*·ricH

Je (n')ai (pas)...	*Ich habe (keinen)...*	icH *hâ*·be (kayn·nen)...
Avez-vous...?	*Haben Sie...?*	*hâ*·ben zî...
As-tu...?	*Hast du...?*	hast dou...
faim	*Hunger*	*hung*·er
soif	*Durst*	dourst

J'ai.../Je n'ai pas...	*Mir ist .../Mir ist nicht...*	mîr ist/mîr ist nicHt...
Avez-vous/As-tu...?	*Ist Ihnen ...?/Ist dir ...?*	ist *î*·nen/ ist dîr...
froid	*kalt*	kalt
chaud	*warm*	varm

Vous semblez/tu sembles ennuyé(e)?
   Ist Ihnen/dir das peinlich? pol/fam   ist *î*·nénn/dîr das *payn*·licH

Je (ne) suis (pas) ennuyé(e).
   Das ist mir (nicht) peinlich.   das isst mîr (nicHt) *payn*·licH

Je (ne) me fais (pas) du/de soucis.
   Ich mache mir (keine) Sorgen.   icH *ma*·Rche mîr (kayn) *zor*·guénn

11

CONVERSATION

Croyances

Je (ne) suis (pas)…	Ich bin (kein/keine)… m/f	icH bin (kayn/kay·ne)…
agnostique	Agnostiker(in) m/f	ag·noss·ti·kér/rinn
bouddhiste	Buddhist(in) m/f	bou·dist/bou·dis·tinn
catholique	Katholik(in) m/f	ka·to·lik/ka·to·li kinn
chrétien	Christ(in) m/f	krist/kris·tinn
hindouiste	Hindu m/f	hinn·dou
juif/juive	Jude/Jüdin m/f	you·de/yu·dinn
musulman(e)	Moslem/Moslime m/f	mos·lèmm/ mos·li·me
protestant(e)	Protestant(in) m/f	pro·tés·tannt/ pro·tés·tann·tinn

Climat

Quel temps fait-il ?	Wie ist das Wetter?	vî ist das vè·tér
Il fait…	Es ist…	és isst…
Fera-t-il …	Wird es morgen	virt es mor·guén
demain ?	… sein?	… zayn
nuageux	wolkig	vol·kicH
froid	kalt	kalt
glacial	eiskalt	ays·kalt
très chaud	heiß	hays
pluvieux	regnerisch	rég·ne·ricH
ensoleillé	sonnig	zo·nicH
chaud	warm	varm
venteux	windig	vin·dicH

12

VISITES
Sites touristiques

Avez-vous de la documentation sur les sites régionaux ?
 Haben Sie Informationen   hâ·ben zî in·for·ma·tsyô·nénn
 über örtliche Sehens-   u·ber euhrt licHe zé·énns·
 würdigkeiten?   vur·dicH·kay·ténn

Nous n'avons qu'(une journée).
 Wir haben nur   vîr hâ·ben nour
 (einen Tag).   (ay·nénn tâk)

J'aimerais voir...
 Ich möchte ... sehen.   icH meuhcH·te ... zé·énn

Qu'est-ce que c'est ?
 Was ist das?   vas isst dass

Qui l'a fait ?
 Wer hat das gemacht?   vér hat dass gué·macHt

De quand ça date ?
 Wie alt ist es?   vî alt isst ess

Pouvez-vous me prendre en photo ?
 Könnten Sie ein Foto   kern·ten zî én fô·to
 von mir machen?   fon mîr ma·cHen

Je voudrais...	*Ich hätte gern ...*	icH hé·te guérn...
un audio-guide	*einen Audioführer*	ay·nénn ao·di·o·fu·rer
un catalogue	*einen Katalog*	ay·nénn ka·ta·lôg
un guide en	*einen Reiseführer*	ay·nénn ray·ze·fu·rer
français	*auf Französisch*	aof frann·tseuh·sich
une carte	*eine Karte*	ay·ne kar·te
(d'ici)	*(von hier)*	(fon hîr)

Galeries et musées

Où se trouve (le musée) ?
Wo ist (das Museum)?   vô isst (das mou·zé·oum)

À quelle heure ouvre (la galerie) ?
Wann hat (die Galerie) geöffnet?   vann hat (dî ga·lé·*rî*) gué·euhf·nét

Que contient cette collection ?
Was gibt es in der Sammlung?   vass gipt ess in dér *zamm*·loung

Que pensez-vous/penses-tu… ?
Was halten Sie von…? pol.   vass *hal*·ténn zî fonn…
Was hältst du von…? fam.   vass héltst dou fonn…

C'est une … exposition.
Es ist eine …-Ausstellung.   es ist *ay*·ne …*aos*·chté·loung

Je m'intéresse à…
Ich interessiere mich für…   icH in·tré·*sî*·re micH fur…

J'aime les œuvres de…
Ich mag die Arbeiten von…   icH magk dî *ar*·bay·ténn fonn…

Cela me fait penser à…
Es erinnert mich an…   ess ér·*i*·nért micH ann…

art moderne	*moderne Kunst* f	mo·*dér*·ne kounst
Art Nouveau	*Jugendstil* m	*you*·guénnt·chtîl
art roman	*romanische Kunst* f	ro·*mâ*·ni·cheuch kount
baroque	*barocke Kunst* f	ba·*ro*·keuh kounst
Bauhaus	*Bauhaus* f	*bao*·haos
impressionnisme	*impressionistische Kunst* f	im·pré·syo·*nis*·ti·che kounst
gothique	*gotische Kunst* f	*gô*·ti·che kounst
expressionnisme	*expressionistische Kunst* f	éks·pré·syo·*nis*·ti·cheuh kounst
Renaissance	*Renaissance-Kunst* f	ré·né·*sangs*·kounst

Billetterie

À quelle heure ça ouvre/ferme ?
Wann macht es auf/zu? van macHt es aof/tsou

Quel est le prix d'entrée ?
Was kostet der Eintritt? vas kos·tet dér ayn·trit

(L'entrée) coûte…
Er kostet… ér kos·tét…

Faîtes-vous des réductions pour les…?	*Gibt es eine Ermäßigung für …?*	gipt ess ay·ne ér·mé·ssi·gunng fur…
enfants	*Kinder*	kinn·dér
familles	*Familien*	fa·mî·li·énn
groupes	*Gruppen*	grou·pen
retraités	*Rentner*	rennt·ner
étudiants	*Studenten*	chtou·dén·ténn

Visites guidées

Quand est le/la prochain(e)… ?	*Wann ist der/die nächste …?* m/f	vann isst dér/dî nécHs·te…
voyage en bateau	*Bootsrundfahrt* f	bôts·rounnt·fârt
excursion (à la journée)	*(Tages)Ausflug* m	(tâ·gués)·aos·flouk
circuit	*Tour* f	tour

L'/le/la … est-il/elle inclus(e) ?	*Ist… inbegriffen?*	ist… in·bé·gri·fénn
hébergement	*die Unterkunft*	dî oun·ter·kounft
prix d'entrée	*der Eintritt*	dér ayn·trit
équipement	*die Ausrüstung*	dî aos·rus·toung
nourriture	*das Essen*	das e·ssen
transport	*die Beförderung*	dî be·feuhr·dé·roung

Pouvez-vous	Können Sie ...	ker·nénn zî ...
me conseiller	Sehenswürdigkeiten	zé·énns·vurdicH·kay·ténn
des sites...?	empfehlen?	emmp·fé·lén
culturels	kulturelle	koul·tou·ré·le
locaux	örtliche	euhrt·li·cHe
religieux	religiöse	ré·li·gui·jeuh·ze
exceptionnels	einzigartige	ayn·tsik·ar·ti·gué

Dois-je apporter... ?
Muss ich ... mitnehmen?   mus icH ... mit·né·ménn

C'est le guide qui paie.
Der Reiseleiter bezahlt.   dér ray·ze·lay·ter be·tsált

Le guide a payé.
Der Reiseleiter hat bezahlt.   dér ray·ze·lay·ter hat be·tsált

Combien de temps dure le circuit ?
Wie lange dauert die Führung?   vî lanng·e dao·ert dî fu·rounng

À quelle heure devons-nous être de retour ?
Wann sollen wir zurück sein?   van zo·lén vîr tsou·ruk zayn

Je fais partie du groupe.
Ich gehöre zur Gruppe.   icH gué·heuh·re tsour grou·pè

J'ai perdu mon groupe.
Ich habe meine   icH hâ·be may·ne
Gruppe verloren.   grou·pè fer·lô·ren

Avez-vous vu un groupe de (Français)?
Haben Sie eine Gruppe   hâ·ben zî ay·ne grou·pè
(Franzosen) gesehen?   (frann·tsô·sénn) gué·zé·énn

Où/Quand devons-nous nous retrouver ?
Wo/Wann sollen wir   vô/van zo·lén vîr
uns treffen?   ouns trè·fénn

Top 5 des excursions

Les voyageurs osant s'aventurer hors de la capitale seront récompensés par des découvertes culturelles passionnantes et des paysages magnifiques.

Meilleures excursions depuis Berlin :
Postdam   *post·dam*
Potsdam, capitale historique du Land de Brandebourg, est située sur la Havel, à 26 km de Berlin. Jadis résidence royale du royaume de Prusse, les visiteurs s'y pressent désormais pour admirer les magnifiques palais du parc de Sans-souci, classé par l'Unesco au patrimoine mondial.

Spreewald   *chpré·valtew*
Avec ses rivières, ses canaux et ses cours d'eau, la "forêt de la Spree" est, à 90 km au sud-est de Berlin, la région verte la plus proche de la capitale. Les Berlinois y viennent pour naviguer sur les 400 km de voies d'eau, pêcher, ou randonner le long des innombrables sentiers.

Meilleures excursions depuis Munich :
Füssen   *fu·ssen*
Nichée au pied des Alpes bavaroises, Füssen possède un monastère bénédictin, un château et un bel ensemble architectural baroque. La ville est également connue pour les célèbres châteaux qui l'environnent : Neuschwanstein, Hohenschwangau, Linderhof.

Garmisch-Partenkirchen   *gar·mich par·ten·kir·cHen*
Cette station de sports d'hiver donnant accès à quatre domaines skiables est le paradis des amateurs de glisse. Il est même possible de grimper au sommet du Zugspitze, le plus haut d'Allemagne, en train à crémaillère, puis en téléphérique.

Meilleures excursions depuis Vienne :
Klosterneuburg   *klos·ter·noy·bourg*
Dans cette petite ville, située à 12 km au nord de la capitale, une magnifique abbaye augustinienne médiévale aux accents baroques accueille un musée éclectique d'art religieux. Non loin de l'abbaye, visitez également la Sammlung Essl, une galerie exposant une immense collection d'art contemporain.

Top 10 des visites

Des châteaux de contes de fées aux villes médiévales en passant par les galeries d'art, le monde germanophone offre une pléiade de visites toutes plus passionnantes les unes que les autres. Il faudrait des années pour explorer tous ces trésors de l'histoire, mais vous pouvez commencer par découvrir les suivants :

Alte Pinakothek
al·te pi·na·ko·*tèk*

Située dans un gigantesque bâtiment néoclassique, la plus importante galerie de **Munich** recèle un véritable trésor : des œuvres de maîtres anciens tels que Dürer, Rembrandt, Raphaël, Le Titien ou Botticelli.

Altstadt, Lübeck
alt·chtat *lu*·bèk

Bâtie sur une île de la Trave, la vieille ville de **Lübeck** est un joyau de l'architecture du XIIᵉ siècle, classé au patrimoine mondial. Ses rues féeriques sont bordées d'échoppes et d'églises aux flèches immenses.

Hamburger Kunsthalle
ham·bour·gueur *kounst*·ha·le

Le musée des Beaux-Arts de **Hambourg** est réputé pour être l'un des plus beaux d'Allemagne. La collection s'étend du portrait médiéval aux incontournables du XXᵉ siècle avec des œuvres de Beckmann, Klee, Kokoschka, Munch ou Nolde.

Innere Stadt
i·ne·re chtat

Magique et intemporel, le cœur historique de **Vienne** est un véritable musée en plein air. Inscrit au patrimoine mondial de l'Unesco depuis 2001, il est l'écrin de la Stephansdom, l'emblématique cathédrale gothique, et de la Hofburg, le palais impérial.

Kölner Dom
keuhl·ner dom

Les deux flèches jumelles de la magnifique cathédrale de **Cologne** semblent toucher le ciel. Son incroyable collection de trésors de l'art, ses élégantes proportions et son atmosphère solennelle ne manqueront pas d'émouvoir même les plus blasés. Pour tutoyer les nuages, grimpez les 509 marches qui mènent au sommet de la tour sud.

Reichstag
raycHs·tak

Construit en 1894 pour abriter à l'origine l'assemblée parlementaire de l'empire allemand, cet édifice **berlinois** est, depuis 1999, le siège du parlement allemand, après avoir été reconstruit sous la direction du célèbre architecte britannique Lord Norman Foster. Le dôme en verre qui coiffe le Reichstag offre une vue exceptionnelle sur la ville.

Salzburg
zalts·bourg

Patrie de Mozart, cette ville baroque, bien conservée, est nichée au pied du Mönchsberg. Dans les rues pleines de charme de la vieille ville, les ornements délicats des églises rivalisent avec les façades des boutiques savamment décorées. La musique de Mozart plane toujours sur Salzburg.

Schloss Neuschwanstein
chlos noy·chvan·chtayn

Le château le plus célèbre au monde, qui semble tout droit sorti d'un conte de fées, domine majestueusement la Bavière. Entamée en 1869 sur l'ordre de Louis II, la construction de cette réplique de château médiéval, toujours inachevée, est à l'image de la folie des grandeurs du monarque. De belles promenades vous attendent dans les collines boisées qui entourent le château.

Unter den Linden
oun·ter dén linn·den

Ce splendide boulevard de **Berlin** s'étend sur 1,5 km, de la porte de Brandebourg au Schlossbrücke ("le pont du château"). Jadis chemin équestre, le boulevard s'est transformé en une vitrine de l'architecture baroque, néoclassique et rococo, bordée des tilleuls (Linden) qui lui ont donné son nom. Parmi les bâtiments remarquables du boulevard, citons l'université Humboldt, ancien palais devenu université (Marx et Engels en ont fréquenté les bancs), ainsi que le Zeughaus, un bâtiment baroque qui fut autrefois l'arsenal royal et qui abrite aujourd'hui le musée de l'histoire d'Allemagne.

Walhalla
val·ha·la

Construit sur le modèle du Parthénon d'Athènes par Louis Ier, le Walhalla est un monument à couper le souffle, qui surplombe Ratisbonne, dans l'est de la Bavière. Plus de 350 marches de marbre mènent des rives du Danube à une salle de marbre entièrement consacrée aux grands hommes de la civilisation allemande (125 bustes de ces héros y sont exposés).

SHOPPING
Renseignements

Où puis-je trouver… ? *Wo ist…?* vô isst …
  une banque *eine Bank* f *ay*·ne banngk
  un marché *ein Markt* m *ayn* markt

Où puis-je acheter… ?
  Wo kann ich … kaufen? vô kann icH … *kao*·fén

Je voudrais acheter…
  Ich möchte … kaufen. icH *meuhcH*·tè … *kao*·fén

Je ne fais que regarder.
  Ich schaue mich nur um. icH *chao*·e micH nour oum

En avez-vous d'autres ?
  Haben Sie noch andere? *hâ*·bén zî nocH *ann*·dé·re

Pouvez-vous me le montrer ?
  Können Sie mir zeigen? *keuh*·nénn zî es mîr *tsay*·guénn

Y a-t-il une garantie ?
  Gibt es darauf Garantie? gipt es da·*raof* ga·rann·*tî*

Pouvez-vous l'expédier à l'étranger ?
  Können Sie es ins Ausland *keuh*·nénnziessinn*saos*·lant
  verschicken? fer·*chi*·ken

Pouvez-vous me le commander ?
  Können Sie es für *keuh*·nénn zî ess fur
  mich bestellen? micH bé·*chtè*·lén

Puis-je passer le prendre plus tard ?
  Kann ich es später kan icH ess chpé·tér
  abholen? ap·hô·lén

C'est abîmé/cassé.
  Es ist fehlerhaft/kaputt. es ist fé·lér·haft/ka·*pout*

Pourrais-je avoir…, s'il vous plaît ?	Könnte ich … bekommen, bitte?	*kern*·te ikh… be-*ko*-ménn, *bi*-te
un sac en plastique	eine Tüte	*ay*-nè *tu*-tè
un paquet cadeau	es eingepackt	es *ayn*-gué-pakt
Pourriez-vous… ?	Ich möchte bitte…	icH *meuhcH*-te *bi*-te…
me rendre la monnaie	mein Wechselgeld	mayn *vek*-sel-gelt
me rembourser	mein Geld zurückhaben	mayn gelt tsou-*ruk*-hâ-bén
reprendre cet article	diese Sache zurückgeben	*di*-ze za-RcHè tsou-*ruk*-gé-bén

Hauts lieux du shopping

Que vous soyez grippe-sou ou panier percé, ces quartiers commerçants vous donneront maintes occasions de mettre la main au portefeuille.

Alte et Neue Schönhauser Strasse, Mitte, Berlin – mode berlinoise
• accessoires

Bergmannstrasse, Kreuzberg, Berlin – vêtements branchés d'occasion
• accessoires chic de décoration • musique

Kastanienallee et Oderberger Strasse, Prenzlauer Berg, Berlin – bibelots
• mode dernier cri

Kärntner Strasse et Mariahilfer Strasse, Vienne – quartiers commerçants comptant surtout des magasins de chaînes, mais les boutiques de Kärntner Strasse proposent des articles plus chers et de meilleure qualité

Gärtnerplatz et Glockenplatz, Munich – petites boutiques alternatives
• vêtements *street-wear*

Maximilianstrasse et Theatinerstrasse, Munich – boutiques de mode, pour les budgets extensibles

Argent

Combien cela coûte-t-il ?
Wie viel kostet es? — vî fîl *kos*·tét éss

Pouvez-vous m'écrire le prix ?
Können Sie den Preis aufschreiben? — *keuh*·nénn zî dén prays *aof*·chray·ben

C'est trop cher.
Das ist zu teuer. — das isst'tsou *toy*·er

Pouvez-vous baisser le prix ?
Können Sie mit dem — *keuh*·nénn zî mit dem
Preis heruntergehen? — prais he·*roun*·tér·gué·énn

Auriez-vous quelque chose de moins cher ?
Haben Sie etwas — *hâ*·bén zî *et*·vas
Billigeres? — *bi*·li·gué·res

Je vous en offre...
Ich gebe Ihnen ... — icH *gé*·bé *î*·nénn...

Où puis-je trouver le rayon des bonnes affaires ?
Wo kann ich die Abteilung für — vô kàn icH dî ap·*tay*·loung fur
Schnäppchen finden? — *chnép*·cHen *fin*·dénn

Pourrais-je avoir une facture, s'il vous plaît ?
Könnte ich eine Quittung — *kern*·te ikh *ay*·ne *kvi*·tung
bitte bekommen? — *bi*·te be·*ko*·ménn

Acceptez-vous... ? — *Nehmen Sie...?* — *né*·ménn zî...
les cartes de crédit — *Kreditkarten* — kré·*dît*·kar·ténn
les chèques de voyage — *Reiseschecks* — *ray*·ze·chéks

Où est le ... — *Wo ist der/die* — vô isst dér/dî
le plus proche ? — *nächste...?* m/f — *nécHs*·te...
  guichet automatique — *Geldautomat* m — *gelt*·ao·to·mât
  bureau de change — *Geldwechselstube* f — *guéld*·vék·sel·chtou·be

Vêtements et chaussures

Je cherche...	*Ich suche nach...*	ich *zou*-Rche naRch...
un jeans	*einer Jeans*	*ay*-ner djïnns
des chaussures	*Schuhen*	chou-èn
des sous-vêtements	*Unterwäsche*	oun-ter-vè-cheu
petit	*klein*	klain
moyen	*mittelgross*	*mi*-tel-grôss
grand	*gross*	grôss

Puis-je essayer ?
Kann ich es anprobieren? kann icH es *an*-pro-*bî*-ren

Je fais du (40).
Ich habe Größe (vierzig). icH *hâ*-be greuh-sse (*fir*-tsikh)

Ça ne va pas.
Es passt nicht. ess passt nicHt

Livres et musique

Y a-t-il... ?	*Gibt es...?*	gipt es...
une librairie	*einen Buchladen*	*ay*-nen *bouRcH*-lâ-dénn
de langue française	*für französische*	fur frann-*tseuh*-sî-cHé
	Bücher	bu-cHér
un rayon	*eine Abteilung*	*ay*-ne ap-*tai*-lung
Je voudrais...	*Ich hätte gern...*	icH *hé*-te gern...
un plan de la ville	*einen Stadtplan*	*ay*-nen *chtat*-plan
un journal	*eine Zeitung*	*ay*-ne *tsay*-toung
(en français)	*(in Französisch)*	(in frann-*tseuh*-sich)
un crayon	*einen Bleistift*	*ay*-nen *blay*-chtift
une carte postale	*eine Postkarte*	*ay*-ne *post*-kar-teuh

Avez-vous des guides Lonely Planet ?
Haben Sie Lonely-Planet-Reiseführer?   hâ·ben zî *lônn*·li·*pla*·net·ray·ze·fu·rér

Je voudrais un...   *Ich hätte gern...*   icH *hé*·te guérnn...
  DVD   *eine wiederbeschreib-*   *ay*·ne vi·dér·bé·chrayp·
  réinscriptible   *bare DVD*   ba·re *dé*·fao·dé
  CD   *eine CD*   *ay*·ne tsé·dé
  casque audio   *Kopfhörer*   kopf·heuh·rér

J'ai entendu un groupe qui s'appelle...
Ich habe eine Band mit   icH *hâ*·bè *ay*·ne bénnt mit
dem Namen ... gehört.   dêm *nâ*·mènn ... gué·heurt

J'ai entendu un chanteur qui s'appelle...
Ich habe einen Sänger mit   icH *hâ*·bè *ay*·nénn *zéng*·er mit
dem Namen ... gehört.   dêm *nâ*·mènn ... gué·heurt

Quel est son meilleur album ?
Was ist seine/ihre beste CD? m/f   vas ist *zay*·nè/*î*·re *béss*·te tsé·dé

Puis-je l'écouter ?
Kann ich mir das anhören?   kann icH mîr dass *an*·heuh·ren

Photographie

J'ai besoin   *Ich brauche ein(en)*   icH *brao*·cHe *ay*·n(en)
d'un(e) ... pour   *... für diese*   ... für *dî*·ze
cet appareil-photo.   *Kamera.*   *ka*·me·ra
  câble   *Kabel* n   *kâ*·bél
  carte mémoire   *Speicherkarte* f   chpay·cHér·kar·te
  pellicule   *Schwarzweißfilm* m   chvarts·*vais*·film
   en noir et blanc
  couleur   *100 ASA-Farbfilm* m   *hun*·dert â·zâ *farp*·film

Pouvez-vous... ?	Können Sie... ?	*keu·nénn zî...*
développer	*diesen Film*	*dî·zénn film*
cette pellicule	*entwickeln*	*énnt·vi·kéln*
insérer	*mir den Film*	*mîr dén film*
la pellicule	*einlegen*	*ayn·lé·guénn*

Pouvez-vous ...?	Können Sie... ?	*keu·nénn zî...*
développer des	*digitale Fotos*	*di·gi·ta·le fô·tôs*
photos numériques	*entwickeln*	*énnt·vi·kéln*
recharger la	*die Batterie*	*dî ba·té·rî*
batterie de mon	*meiner digitalen*	*may·ner di·gi·ta·len*
appareil numérique	*Kamera laden*	*ka·mé·ra la·den*
graver les photos	*die Fotos von*	*dî fô·tôs fon*
de mon appareil	*meiner Kamera*	*may·ner ka·mé·ra*
photo sur un CD	*auf eine CD*	*aof ay·ne tsé·dé*
	übertragen	*ü·ber·trâ·guénn*

Combien coûte le développement de cette pellicule ?
Was kostet es, diesen Film — vas *kos·tet es dî·zen film*
entwickeln zu lassen? — *énnt·vi·kéln tsou la·ssen*

Quand sera-t-elle prête ?
Wann ist er fertig? — vann isst ér *fer·tik*

Je ne suis pas satisfait(e) de ces photos.
Mit diesen Fotos bin — mit *dî·zen fô·tôs bin*
ich nicht zufrieden. — icH nicHt tsou·*frî·*dénn

Je ne veux pas payer le prix total.
Ich möchte nicht den — icH *meuhcH·*te *nicHt* dén
vollen Preis bezahlen. — *fo·*lénn prais bé·*tsâ·*lénn

J'ai besoin de photos d'identité.
Ich möchte Passfotos — icH *meuhcH·*te *pas·*fô·tôs
machen lassen. — *ma·*cHen *la·*ssen

Pouvez-vous réparer mon appareil photo ?
Kann ich hier meine Kamera — kan icH hîr may·ne *ka·*mé·ra
reparieren lassen? — re·pa·*rî·*ren *la·*ssen

SORTIES
Au programme

Y a-t-il un programme des spectacles et des sorties ?
Gibt es einen lokalen   gipt es *ay*-nénn *lo*-kâ-len
Veranstaltungskalender?   fer-*ann*-chtal-toungks-ka-lénn-dér

Français	Allemand	Prononciation
Que se passe-t-il... ?	*Was ist ... los?*	vas ist ... lôs
aujourd'hui	*heute*	*hoy*-te
ce soir	*heute Abend*	*hoy*-te â-bénnt
près d'ici	*hier*	hîr
ce week-end	*dieses*	*dî*-zés
	Wochenende n	vo-Rchénn-énn-de
Où sont les... ?	*Wo sind die...?*	vô zint dî...
clubs	*Klubs* m/pl	kloups
clubs gay	*Schwulen- und*	*chvou*-lénn ounnt
et lesbien	*Lesbenkneipen*	*léss*-bénn-knay-pénn
restaurants	*Restaurants* n/pl	réss-to-*rangs*
bars	*Kneipen* m/pl	*knay*-pénn
J'aimerais aller...	*Ich hätte Lust*	icH *hé*-te loust
	... zu gehen.	...tsou *gé*-énn
voir un ballet	*zum Ballett*	tsoum ba-*let*
dans un bar/pub	*in eine Kneipe*	in *ay*-ne *knay*-pe
dans un café	*in ein Café*	in ayn ka-*fé*
au cinéma	*ins Kino*	ins *kî*-no
au concert	*in ein Konzert*	in ayn kon-*tsért*
en boîte de nuit	*in einen Nachtklub*	in *ay*-nen *nacHt*-kloup
à l'opéra	*in die Oper*	in dî ô-pér
au restaurant	*in ein Restaurant*	in ayn réss-to-*rang*
au théâtre	*ins Theater*	ins té-â-ter

Rendez-vous

Où/Quand nous retrouvons-nous ?
Wo/Wann sollen   vô/vann *zo*-lénn vîr
wir uns treffen?   ouns *tre*-fénn

Retrouvons-nous...   *Wir treffen uns...*   vîr *trè*-fénn ouns...
  à (8) h   *um (acht) Uhr*   oum (acHt) our
  à l'entrée   *am Eingang*   amm (*ayn*-ganng)

Centres d'intérêt

Aimez-vous... ?   *Mögen Sie...?* pol   *meuh*-guénn zî...
Aimes-tu... ?   *Magst du...?* fam   ma*Rchst dou...

Je (n')aime (pas)...   *Ich mag (keine/*   icH mâk (*kay*-ne/
     keinen)... f/m   *kay*-nénn)...
  la musique   *Musik* f   mou-*zîk*
  le sport   *Sport* m   chport

J'aime...   *Ich ... gern.*   icH ... guérn
  danser   *tanze*   *tan*-tse
  dessiner   *zeichne*   *tsaycH*-ne
  lire   *lese*   *lé*-ze
  peindre   *male*   *má*-le
  sortir   *gehe ... aus*   *gé*-e ... aos
  faire de la photo   *fotografiere*   fo-to-gra-*fî*-re
  voyager   *reise*   *ray*-ze

Aimes-tu... ?   *Gehst du gern*   gést dou guérn
  aller au concert   *in Konzerte?* fam   in kon-*tser*-te
  écouter de   *Hörst du gern*   heuhrst dou guérn
   la musique   *Musik?* fam   mou-*zîk*
  danser   *Tanzt du gern?* fam   *tan*-tse dou guérn

RESTAURANT

petit-déjeuner	*Frühstück* n	*fru·chtuk*
déjeuner	*Mittagessen* n	*mi·tâk·è·ssénn*
dîner	*Abendessen* n	*â·bénnt·è·ssénn*
en-cas	*Snack* m	snék
manger	*essen*	*è·ssénn*
boire	*trinken*	*tring·kénn*

Réservation

Pourriez-vous me conseiller un... ?	*Können Sie ... empfehlen?* pol	*keuh·nénn zî ... emmp·fé·lénn*
bar/pub	*eine Kneipe*	*ay·ne knay·pe*
café	*ein Café*	*ayn ka·fé*
restaurant	*ein Restaurant*	*ayn rés·to·rang*

Où iriez-vous pour (un)... ?	*Wo kann man hingehen, um...?*	*vô kann man hin·gué·énn oum...*
repas de fête	*etwas zu feiern*	*ét·vas tsou fay·érn*
repas bon marché	*etwas Billiges zu essen*	*ét·vas bi·li·gués tsou è·ssénn*
manger des spécialités locales	*örtliche Spezialitäten zu essen*	*euhrt·li·cHe chpé·tsya·li·té·tèn tsou è·ssènn*

Je voudrais...	*Ich hätte gern...*	*icH hé·tè guérn ...*
une table pour (5) personnes	*einen Tisch für (fünf) Personen*	*ay·nénn tich fur (funf) per·zô·nénn*
être dans une salle non fumeur/ salle fumeur	*einen Nichtrauchertisch/ Rauchertisch*	*ay·nénn nicHt·rao·cHer·tich rao·cHer· tich*

Quel restaurant choisir ?

En allemand, un restaurant se dit… *ein Restaurant* ayn res·to·ran, mais lisez attentivement le vocabulaire suivant pour ne rien manquer de la gastronomie germanique :

Bierstube   *bir·chtou·beu*
Brasserie servant généralement des petits repas, notamment plusieurs sortes de saucisses.

Café Konditorei   *ka·fé kon·di·to·ray*
Café, souvent richement décoré, proposant gâteaux et pâtisseries.

Gaststätte   *gast·chtè·te*
Établissement décontracté où se régaler d'un plat du jour et siroter une bière dans le jardin.

Gasthöfe/Gästehaus/Gastwirt *gast·heuh·fe/guès·te·haos/gast·virt*
Ces trois termes désignent, en Autriche, un restaurant au cadre traditionnel.

Heuringen   *hoy·rin·guen*
En Autriche, plus particulièrement dans les régions viticoles, une adresse servant une cuisine traditionnelle copieuse à petit prix.

Kaffeehaus   *ka·fé·haos*
Café, souvent un bon choix. Faites le vôtre parmi les plats du jour et la carte de *Hauptspeise* *haopt·chpai·ze* (plats de résistance).

Ratskeller Restaurant   *rats·ké·leur res·to·ran*
Restaurant à vocation touristique, implanté dans les centres commerciaux et servant des plats traditionnels (souvent de qualité médiocre) à des prix exorbitants.

Weinkeller/Bierkeller   *vayn·ké·leur/bir·ké·leur*
Petit bistro (litt. "cave à vins"/"cave à bière") servant boissons et repas légers.

Commander

Que me conseillez-vous ?
Was empfehlen Sie?   vas emp·fé·lénn zî

Je voudrais…,	*Ich hätte gern …,*	icH *hé·*teuh guérn …
s'il vous plaît.	*bitte.*	*bi·*te
la carte	*die Getränke-*	di gué·*treng·*keuh·
des boissons	*karte*	kar·te
le menu	*die Speisekarte*	di *chpay·*ze·kar·teuh
ce plat	*dieses Gericht*	*di·*zes gué·*ricHt*
Je l'aimerais…	*Ich hätte es gern…*	icH *he·*te es guérn…
Je ne le veux pas…	*Ich möchte*	icH *meuhcH·*te
	es nicht…	es nicHt…
à point	*halb durch*	hâlp dourcH
saignant	*englisch*	*eng·*lich
bien cuit	*gut durch-*	gout *dourcH·*
	gebraten	gué·brâ·ten
sans…	*ohne…*	*ô·*ne…
avec la sauce	*mit dem Dressing*	mit dém *dre·*sing
à part	*daneben*	da·*né·*ben

Boissons non alcoolisées

café	*Kaffee* m	ka·fé
thé…	*Tee…* m	té…
avec du lait	*mit Milch*	mit·milcH
sans sucre	*ohne Zucker*	*ô·*ne·*tsu·*ker
jus d'orange	*Orangensaft* m	o·rang·*gênn·*zaft
eau	*Wasser* n	*va·*ser
plate	*ohne Kohlensäure*	*ô·*ne ko·*lénn·*soy·reuh
chaude	*heißes Wasser*	*hay·*ses va·*sér*

La bière

Si vous êtes impatients de voir la bière allemande couler à flots, sachez que l'Allemagne est le paradis des amateurs de bières, et compte plus de variétés que vous ne pourrez en remplir votre *Seidel* zay·del (chope) :

Bockbier n — bok·bîr
bière blonde ou brune à haut degré d'alcool

Eisbock m — ays·bok
Bockbier qui a été gelée pour réduire son degré d'eau, ce qui augmente celui de l'alcool

Export n — eks·port
bière blonde

Hefeweizen n — hé·fe·vai·tsen
bière de blé non filtrée (la bouteille contient encore des levures) – qui peut être blonde (*hell* hél) ou brune (*dunkel* doung·kel)

Helles n — he·les
bière blonde de Bavière

Kräusen n — kroy·zen
bière ambrée ou brune non filtrée

Kristallweizen n — kris·tal·vay·tsénn
bière de blé blonde (*hell* hél) ou brune (*dunkel* doung·kel)

Pils/Pils(e)ner n — pils/pil·z(e·)nér
pilsner, très proche d'une bière blonde

Schwarzbier n — chvarts·bîr
bière noire de la famille des Guinness

Weizenbier/Weißbier n — vay·tsénn·bîr/vays·bîr
bière de blé filtrée/bière blanche

Boissons alcoolisées

cognac	*Weinbrand* m	*vayn*-brant
champagne (français)	*Champagner* m	cham-*pan*-yer
champagne (allemand)	*Sekt* m	sékt
cocktail	*Cocktail* m	*kok*-tél
un verre de…	*einen…*	*ay*-nénn…
gin	*Gin*	dzhin
rhum	*Rum*	rum
tequila	*Tequila*	te-*ki*-la
vodka	*Wodka*	*vot*-ka
whisky	*Whisky*	*vis*-ki
une bouteille de vin…	*eine Flasche…*	*ay*-ne *fla*-che…
un verre de vin…	*ein Glas…*	én glâs…
cuit	*Dessertwein*	de-*sair*-vayn
chaud	*Glühwein*	*glü*-vén
rouge	*Rotwein*	*rôt*-vén
rosé	*Rosé*	ro-zé
mousseux	*Sekt*	zekt
blanc	*Weißwein*	*vais*-vayn
un(e) … (de) bière	*ein … Bier*	én … bîr
petit verre (25 cl)	*kleines*	*klai*-nes
verre (33 cl)	*Glas*	glâss
grand verre	*großes Glas*	*grô*-sséss glâss
pinte (50 cl)	*halbes Maß*	*halb*-es mâss
bière pression	*Bier vom Fass*	bîr fom fas
bière…		
légère	*Leichtbier* n	*laicHt*-bîr
sans alcool	*alkoholfreies*	al-ko-*hôl*-frai-es
pilsener	*Pils* n	pils
blonde	*Weißbier* n	*vais*-bîr

Au bar

Je vous/t'offre un verre.
Ich gebe Ihnen/dir einen aus. pol/fam   icH *gé*·be î·nénn/dîr *ay*·nénn aos

Qu'aimeriez-vous/aimerais-tu ?
Was möchten Sie ? pol   vas *meuhcH*·ténn zî
Was möchtest du ? fam   vas *meuhcH*·ténn dou

J'aimerais...
Ich hätte gern...   icH *hé*·te guérn...

La même chose, s'il vous plaît.
Dasselbe nochmal, bitte.   das·*zel*·be noRch·*mâl* bi·te

J'offre ma tournée.
Diese Runde geht auf mich.   *dî*·ze *run*·de gét aof micH

Tchin-tchin !
Prost!   prôst

Faire ses courses

Combien coûte (un kilo de fromage) ?
Was kostet (ein Kilo Käse)?   vas *kos*·tét (ayn *kî*·lo *ké*·ze)

Qu'est-ce que c'est ?   *Was ist das?*   vass isst dass
Combien ?   *Wie viel?*   vî fil

Je voudrais...	*Ich möchte...*	icH *merkh*·te...
(200) grammes	*(200) Gramm*	*(tsvay*·houn·dért) gram
(2) kilos	*(zwei) Kilo*	(tsvay) *kî*·lo
(3) morceaux	*(drei) Stück*	(dray) shtuk
(6) tranches	*(sechs) Scheiben*	(zeks) *shay*·ben
un peu de...	*etwas...*	*et*·vas...
Un petit peu plus.	*Ein bisschen mehr.*	ayn *bis*·cHen mêr
Moins.	*Weniger.*	*vé*·ni·guér

C'est assez.	Genug.	gué-nouk
Celui-là.	Das da.	dass da
Celui-ci.	Das hier.	dass hîr

Allergies et régimes spéciaux

Y a-t-il un restaurant (végétarien) près d'ici ?
Gibt es ein (vegetarisches)   gipt ess ayn (végué-tar-i-chéss)
Restaurant hier in der Nähe?   réss-to-ranng hîr inn dér né-e

Je ne mange pas…
Ich esse kein…   icH e-seuh kayn…

Pouvez-vous me préparer ce plat sans… ?
Können Sie ein Gericht   keuh-nénn zî ayn gué-ricHt
ohne … zubereiten?   ô-neuh … tsou-bé-ray-ténn

Je suis…	Ich bin…	icH bin…
végétalien(ne)	*Veganer(in)* m/f	ve-gâ-nér/né-rinn
végétarien(ne)	*Vegetarier(in)* m/f	vé-gué-tâ-ri-ér/é-rin

Je suis allergique…	Ich bin allergisch gegen…	icH binn a-lér-gich gé-guénn…
à la caféine	*Koffein*	ko-fé-in
aux produits laitiers	*Milchprodukte*	milcH-pro-douk-te
aux œufs	*Eier*	ay-ér
au poisson	*Fisch*	fich
au gluten	*Gluten*	glou-ténn
aux matières animales	*Tierprodukte*	tîr-pro-douk-te
aux noix	*Nüsse*	nu-se
aux fruits de mer	*Meeresfrüchte*	mér-res-frucH-te
aux crustacés	*Schalentiere*	châl-lénn-tî-re

Au menu

Entrées	Vorspeisen	*fôr*-chpay-zen
Soupes	Suppen	*zou*-pen
Salades	Salate	za-*lá*-teuh
Plat principal	Hauptgericht	*haopt*-gué-ricHt
Garniture	Beilage	*bay*-lâ-guén
Desserts	Nachspeisen	*nâRch*-chpay-zen
Apéritifs	Aperitifs	a-pé-ri-*tífs*
Boissons sans alcool	alkoholfreie Getränke	al-ko-*hôl*-fray-e gué-*tréng*-keuh
Alcools forts	Spirituosen	chpi-ri-tou-*ô*-zen
Bières	Bier	bir
Mousseux	Schaumweine	*chaom*-vay-neuh
Vins blancs	Weißweine	*vays*-vay-neuh
Vins rouges	Rotweine	*rôt*-vay-neuh
Vins cuits	Dessertweine	de-*sér*-vay-neuh
Digestifs	Digestifs	di-djés-*tífs*

Lexique culinaire

Aal m	âl	anguille
Apfel m	*ap*-fel	pomme
Apfelsine f	ap-fel-*zí*-ne	orange
Aprikose f	a-pri-*kó*-ze	abricot
Artischocke f	ar-ti-*cho*-ke	artichaux
Auflauf m	*aof*-laof	gratin
Auster f	*aos*-ter	huître
Bäckerofen m	*bé*-kér-ô-fénn	(litt : four du boulanger) – porc et agneau cuits dans un pot en terre, spécialité du Saarland et d'Alsace

Backhähnchen n	*bak·hên·cHénn*	poulet frit
Backpflaume f	*bak·pflao·meuh*	grosse prune
Banane f	*ba·nâ·ne*	banane
Barsch m	*barch*	perche
Bayrisch Kraut n	*bay·rich kroat*	chou blanc rapé, cuit avec des lamelles de pomme, du vin et du sucre
Beefsteak n	*bíf·sték*	steak de bœuf
Berliner m	*bér·lî·nér*	beignet à la confiture
Bienenstich m	*bî·nen·chtikh*	carré aux amandes caramélisées fourré de crème chantilly
Birne f	*bir·ne*	poire
Bischofsbrot n	*bi·chofs·brôt*	gâteau aux fruits et aux noix
Blaubeere f	*blao·bér·reuh*	myrtille
Blumenkohl m	*blou·ménn·kôl*	chou-fleu
Blutwurst f	*blout·vourst*	boudin noir
Bockwurst f	*bok·vourst*	saucisse de porc hâché très fin
Bohnen f/pl	*bô·nénn*	haricots
Bratwurst f	*brât·vourst*	saucisse de porc grillée
Brezel f	*bré·tsél*	brétzel
Brokkoli m/pl	*bro·ko·li*	broccoli
Brombeere f	*brom·bér·re*	mûre
Brot n	*brôt*	pain
Brötchen n	*breuht·cHénn*	petit pain
Bulette f	*bou·lé·te*	boulette (Berlin)
Cervelatwurst f	*ser·ve·lât·vourst*	saucisse épicée de porc et de bœuf
Cremespeise f	*krém·chpay·zè*	mousse
Damenkäse m	*dâ·ménn·ké·ze*	fromage doux

Dampfnudeln f/pl	*dampf*·nou·déln	brioches chaudes cuites au lait dans une poêle couverte, servies avec une sauce à la vanille
Dattel f	*da*·tél	datte
Dorsch m	dorch	morue jeune
Ei n	ay	œuf
Eintopf m	*ayn*·topf	ragoût, soupe épaisse
Eis n	ays	glace
Eisbein n	*ays*·bayn	jamboneau de porc
Ente f	*énn*·te	canard
Erbse f	*érp*·se	petits pois
Erbsensuppe f	*érp*·sénn·zou·pe	soupe de petits pois
Erdäpfel m/pl fam	*ért*·ép·fél	pommes de terre
Erdbeere f	*ért*·bér·re	fraise
Erdnuss f	*ert*·nous	arachide
Essig m	*é*·sicH	vinaigre
Fasan m	fa·*zân*	faisan
Feige f	*fay*·gué	figue
Filet n	fi·*lay*	filet
Fisch m	fich	poisson
Flädle m/pl	*flét*·le	fine omelette découpée en lamelles servies dans un bouillon
Fleisch n	flaych	viande
Forelle f	fo·*ré*·le	truite
Frikadelle f	fri·ka·*dé*·le	grosse boulette de viande hachée frite
Frucht f	frucHt	fruit
Frühlingssuppe f	*frü*·lingks·zou·peu	soupe du printemps aux légumes nouveaux
Gans f	ganns	oie
Garnele f	gar·*né*·le	crevette

Gebäck n	gué-*bék*	pâtisserie
Geflügel n	gué-*flu*-guél	volaille
gekocht	gué-*kocHt*	bouilli • cuit
Gemüse n	gué-*mu*-ze	légumes
geräuchert	gué-*roy*-cHert	fumé
Granatapfel m	gra-*nát*-ap-fél	grenade
Graupensuppe f	grao-pen-zou-pe	soupe d'orge
Grießklößchensuppe f	gris-kleuhss-	bouillon aux boulettes
	cHénn-zou-pe	de semoule
grüner Salat m	gru-nér za-*lât*	salade verte
Gurke f	gour-ke	concombre
Hähnchen n	hayn-cHénn	poulet
Hämchen n	hem-cHénn	porc servi avec de la
		choucroute et des
		pommes de terre (Cologne)
Hase m	hâ-ze	lièvre
Haselnuß f	hâ-zél-nouss	noisette
Hecht m	hecHt	brochet
Heidelbeere f	hay-dél-bér-re	myrtille
Heilbutt m	hayl-bout	flétan
Hering m	hé-rinng	hareng
Himbeere f	himm-bér-re	framboise
Hirsch m	hirch	cerf
Honig m	hô-nicH	miel
Hörnchen n	heuhrn-cHénn	croissant brioché
Hühnerbrust f	hu-nér-broust	blanc de poulet
Hühnersuppe f	hu-nér-zou-pe	soupe de poulet
Hummer m	hou-mer	homard
Joghurt m	yô-gourt	yaourt
Kabeljau m	kâ-bel-yao	cabillaud

Kaiserschmarren m	*kay*·zér·chmar·ren	"l'omelette de l'Empereur" – omelette légère aux raisins, servie avec une compote de fruits ou une sauce au chocolat
Kalbfleisch n	*kalp*·flaich	viande de veau
Kaninchen n	ka·*nîn*·cHénn	lapin
Karotte f	ka·*ro*·te	carotte
Karpfen m	*karp*·fénn	carpe
Kartoffel f	kar·*to*·fél	pomme de terre
Käse m	*ké*·ze	fromage
Kasseler n	*kas*·lér	porc fumé
Katenwurst f	*kâ*·ten·vourst	saucisse fumée rustique
Katzenjammer m	ka·tsén·ya·mer	tranches de bœuf froid à la mayonnaise avec concombres ou cornichons à la russe
Keule f	*koy*·le	gigot
Kieler Sprotten f/pl	*kî*·ler chpro·ténn	petit hareng fumé
Kirsche f	kir·cheu	cerise
Klöße m/pl	*kleuh*·seu	boulettes
Knackwurst f	*knak*·vourst	saucisse à la farce finement hachée et légèrement parfumée à l'ail
Knoblauch m	*knôp*·laoRch	ail
Kohl m	kôl	chou
Kompott n	kom·*pot*	compote
Königinsuppe f	*keuh*·ni·guin·zou·peu	crème de poulet avec morceaux de blancs de poulet
Königstorte f	*keuh*·niks·tor·te	gâteau aux fruits, parfumé au rhum
Kopfsalat m	*kopf*·za·lât	variété de salade verte

Kotelett n	kot·*lét*	côte
Krabbe f	*kra*·beuh	crabe
Krakauer f	*krâ*·kao·ér	épaisse saucisse au poivron, d'origine polonaise
Kraut n	kroat	chou
Kräuter n/pl	*kroy*·tér	herbes
Krebs m	kréps	écrevisse
Krokette f	kro·*ké*·te	croquette
Kuchen m	kou·RcHénn	gâteau
Kümmel m	ku·mél	cumin
Kürbis m	kur·bis	potiron
Kutteln f/pl	ku·téln	tripes
Lachs m	laks	saumon
Lammfleisch n	*lam*·flaych	agneau
Landjäger m	lant·yé·guér	fine et longue saucisse épicée
Languste f	lan·*gous*·te	langouste
Lauch m	laocH	poireaux
Leber f	*lé*·ber	foie
Leberkäse m	*lé*·ber·ké·zeu	pâté de foie, de porc et bacon servi chaud
Leberwurst f	*lé*·bér·vourst	pâté de foie à tartiner
Lebkuchen m	*lép*·kou·cHénn	macaron aux épices glacé au chocolat ou au sucre
Leckerli n	lè·kér·lî	biscuit au gingembre et au miel
Lende f	*len*·de	filet
Limburger m	*limm*·bour·guér	fromage fort aux herbes
Linsen f/pl	*lin*·zen	lentilles
Linzer Torte f	*linn*·tsér *tor*·teu	tarte sablée à la confiture de fruits rouges

Lorbeerblätter n/pl	lor·bér·blé·tér	feuilles de laurier
Lucullus-Eier n/pl	lou·*kou*·lous·ay·er	œufs pochés, à la coque ou brouillés, accompagnés de foie gras d'oie, de truffes et autres garnitures servis en sauce
Mais m	maïs	maïs
Majonnaise f	ma·yo·*né*·zeu	mayonnaise
Makrele f	ma·*kré*·leu	maquereau
Mandarine f	mann·da·*rî*·neu	mandarine
Mandel f	*mann*·dél	amande
Marmelade f	mar·me·*lâ*·de	confiture
Matjes m	mat·*yés*	hareng jeune
Meeresfrüchte f/pl	mér·rés·frucH·teu	fruits de mer
Meerrettich m	*mér*·ré·ticH	raifort
Mehl n	mêl	farine
Mett n	mét	viande maigre de porc hachée
Milch f	milcH	lait
Möhre f	*meuh*·reu	carotte
Müesli n	*mus*·li	muesli
Muschel f	mou·*chél*	moule
Muskat m	mous·*kât*	muscade
Müsli n	*mus*·li	muesli
Nelken f/pl	*nél*·kèn	clous de girofle
Niere f	*ni*·re	rognons
Nudelauflauf m	nou·dél·aof·laof	gratin de pâtes
Nudeln f/pl	nou·déln	pâtes • nouilles
Obatzter m	ô·bats·ter	mousse de fromage frais bavarois
Obst n	ôpst	fruits

Ochsenschwanz m	ok·sén·chvants	queue de bœuf
Palatschinken m	pa·lat·ching·kénn	omelette fourrée à la confiture ou au fromage frais, parfois servie avec du chocolat chaud saupoudré de noix
Pampelmuse f	pamm·pél·mou·zeu	pamplemousse
Paprika f	pap·ri·kâ	poivron
Pastetchen n	pas·tayt·cHénn	bouchées à la reine (pas forcément aux abats)
Pastete f	pas·té·te	tranche de pâté
Pellkartoffeln f/pl	pél·kar·to·féln	pommes au four, souvent servies avec du quark (fromage blanc)
Petersilie f	pay·ter·zî·li·e	persil
Pfannkuchen m	pfann·kou·cHénn	omelette sucrée
Pfeffer m	pfè·fer	poivre
Pfifferling m	pfi·fer·linng	chanterelle
Pflaume f	pflao·meu	pruneau
Pichelsteiner m	pi·cHél·chtay·nér	épaisse soupe de viande et de légumes
Pilz m	pilts	champignon
Pökelfleisch n	per·kel·flaich	viande marinée
Pommes Frites pl	pom frit	frites
Porree m	por·ray	poireau
Preiselbeere f	pray·zél·bér·reu	airelle
Printe f	prin·te	biscuit sec au miel
Pumpernickel m	pum·per·ni·kel	pain très noir complet de seigle
Putenbrust f	pou·ten·brust	blanc de dinde
Puter m	pou·ter	dindon

Quark m	kvark	fromage blanc • faisselle
Quitte f	*kvi*·teu	coing
Radieschen n	ra·*dîs*·cHénn	radis
Ragout n	ra·*gou*	ragoût
Rahm m	râm	crème
Rebhuhn n	*rêp*·houn	perdrix
Regensburger m	ré·guénns·bour·guér	saucisse fumée très épicée
Reh n	rê	chevreuil
Reibekuchen m	*ray*·beu·kou·cHénn	galettes de pommes de terre
Reis m	rays	riz
Rettich m	*re*·tikh	radis
Rhabarber m	ra·*bar*·bér	rhubarbe
Rindfleisch n	*rint*·flaich	bœuf
Rippchen m	*rip*·cHèn	entrecôte
Rogen m	*rô*·gen	seigle
Roggenbrot n	*ro*·gen·brôt	pain de seigle
Rollmops m	*rol*·mops	filet de hareng roulé autour d'un oignon ou d'un cornichon et conservé au vinaigre
Rosenkohl m	*rô*·zen·kôl	choux de Bruxelles
Rosinen f/pl	ro·*zî*·nen	raisins
Rosmarin m	*rôs*·ma·rîn	romarin
Rotkraut n	*rot*·kraot	chou rouge
Roulade f	ru·*lâ*·de	tranche de bœuf farcie aux oignons, au bacon et à l'aneth, puis braisée
Rühreier n/pl	rur·ay·ér	œufs brouillés
Russische Eier n/pl	ru·si·che *ai*·er	"œufs à la russe" – œufs à la mayonnaise

Sahne f	zah·ne	crème fraîche ou Chantilly
Salat m	za·lât	salade
Salz n	zalts	sel
Salzkartoffeln f/pl	zalts·kar·to·féln	pommes de terre bouillies
Sauerbraten m	zao·er·brâ·ténn	bœuf mariné et rôti, servi avec une sauce acidulée à la crème
Sauerkraut n	zao·ér·kraot	choucroûte
Schellfisch m	chél·fich	haddock
Schinken m	ching·kénn	jambon
Schlachtplatte f	chlaRcht·pla·te	sélection de charcuterie de porc et de saucisses
Schmorbraten m	chmôr·brâ·ténn	bœuf rôti au pot
Schnittlauch m	chnit·laoRch	ciboulette
Schnitzel n	chni·tsel	escalope de porc, veau ou blanc de poulet panée
Scholle f	cho·le	sole
Schwarzwälder Kirschtorte f	chvarts·vel·der kirch·tor·te	forêt-noire (biscuit au chocolat aromatisé au Kirsch et fourré à la crème Chantilly et aux cerises)
Schwein n	chvayn	porc
Seezunge f	zé·tsoung·e	sole
Sekt m	zékt	champagne fait en Allemagne
Selchfleisch n	zelcH·flaych	porc fumé
Sellerie m	zé·le·rî	céleri
Senf m	zénnf	moutarde
Soße f	zô·se	sauce
Spanferkel n	chpân·fer·kél	cochon de lait
Spargel m	chpar·guél	asperges

Spätzle pl	*chpéts*·le	pâtes aux œufs (spécialité du sud de l'Allemagne et d'Alsace)
Speck m	chpék	bacon
Spekulatius m	chpé·kou·*lâ*·tsi·ous	biscuits secs épicés aux amandes
Spiegelei n	*chpî*·guél·ay	œuf au plat
Spinat m	chpi·*nât*	épinard
Sprossenkohl m	chpro·sénn·kôl	choux de Bruxelles
Sprotten f/pl	chpro·ténn	sprats (anchois de Norvège)
Steckrübe f	chtèk·ru·beu	navet
Steinbutt m	chtain·but	turbot
Streuselkuchen m	chtroy·zel·kou·cHénn	gâteau de type crumble, c'est-à-dire dont la surface est couverte d'un appareil à base de beurre, de sucre, de farine et de canelle
Strudel m	chtrou·dél	roulé fourré d'une farce sucrée ou salée
Suppe f	*zou*·peu	soupe
Teigwaren pl	*tayk*·vâ·ren	terme générique pour pâtes et nouilles
Thunfisch m	*toun*·fich	thon
Thüringer f	*tu*·rinng·ér	saucisse longue, mince et épicée
Thymian m	*tu*·mi·ân	thym
Toast m	tôst	toast
Tomate f	to·*má*·te	tomate
Törtchen n	teuhrt·cHénn	petite tarte ou petit gâteau
Torte f	*tor*·te	tarte à la crème

Truthahn m	*trout·hân*	dindon
Tunke f	*tung·ke*	sauce
Voressen n	*fôr·e·sen*	ragoût
Wachtel f	*vaRch·tél*	caille
Walnuss f	*val·nous*	noix
Weichkäse m	*vaycH·ké·zeu*	fromage à pâte molle
Weinkraut n	*vayn·kraot*	chou blanc braisé, pommes cuisinés au vin blanc
Weintraube f	*vain·trao·be*	raisin frais
Weißbrot n	*vais·brôt*	pain blanc
Weißwurst f	*vais·vourst*	saucisse de veau ou boudin blanc (spécialité du sud de l'Allemagne), – se mange impérativement avant midi accompagnée d'une moutarde sucrée
Wiener Schnitzel n	*vî·ner chni·tsél*	escalope de veau panée
Wild n	*vilt*	gibier
Wurst f	vourst	saucisse
Wurstplatte f	*vourst·pla·te*	charcuterie en tranches
Ziege f	*tsî·gue*	chèvre
Zitrone f	tsi·*trô*·ne	citron
Zucker m	*tsou·ker*	sucre
Zunge f	*tsoung·e*	langue
Zwetschge f	*tsvétch·gué*	prune
Zwiebel f	*tsvî·bel*	oignon
Zwischenrippenstück n	*tsvi·chénn·ri·pen·chtuk*	entrecôte

SERVICES
Poste

Je voudrais	Ich möchte	icH *meuhcH*·te
envoyer...	...senden.	... *zénn*·dénn
un fax	ein Fax	ayn faks
un e-mail	eine E-mail	*ay*·ne *i*·mayls
un colis	ein Paket	ayn pa·*két*
une carte postale	eine Postkarte	*ay*·ne *post*·kar·te

Je souhaite	Ich möchte	icH *meuhcH*·te
acheter un/une...	... kaufen.	... *kao*·fén
enveloppe	einen Umschlag	*ay*·nénn *oum*·chlâk
timbre	eine Briefmarke	*ay*·ne *brif*·mar·ke

Veuillez envoyer ceci (par avion) à...
Bitte schicken Sie   *bi*·tè *chi*·kénn zî
das (per Luftpost) nach...   das (per *louft*·post)naRch...

Banque

Où puis-je...?	Wo kann ich...?	vô kan icH ...
Je voudrais...	Ich möchte...	icH *meuhcH*·te...
encaisser un	einen Scheck	*ay*·nénn chèk
chèque	einlösen	ayn·leuh·zen
changer de	Geld	guélt
l'argent	umtauschen	*oum*·tao·chén
changer des	Reiseschecks	*ray*·ze·cheks
chèques de voyage	einlösen	*ayn*·leuh·zen
retirer de l'argent	Am Automaten	am ao·to·*mâ*·ten
au distributeur	Geld ziehen	guélt *tsi*·ènn

Où est le prochain... ?	Wo ist der/die nächste...? m/f	vô isst dér/dî nécHs·te...
guichet automatique	Geldautomat m	gelt·ô·to·mât
bureau de change	Geldwechsel-stube f	gelt·vek·sel·chtou·be
À combien s'élève(nt) les/la/le... ?	Wie...?	vî...
frais liés à cela	hoch sind die Gebühren dafür	hôRch zint dî gué·bu·ren da·fur
commission	hoch ist die Kommission	hôRch isst dî ko·mi·syôn
taux de change	ist der Wechselkurs	ist dér vék·sel·kours

À quelle heure ouvre la banque ?
Wann macht die Bank auf? van maRcht dî bangk aof

Téléphone

Je souhaite...	Ich möchte...	icH meuhcH·te...
appeler	telefonieren	té·lé·fo·ní·ren
(à Bruxelles)	(nach Brüssel)	(nâRch bru·sél)
appeler en PCV	ein R-Gespräch führen	ayn ér·gué·chprécH furen

Quel est le prix... ?	Wie viel kostet...?	vî·fil kos·tet...
pour (3) minutes de communication	ein (drei)-minütiges Gespräch	ayn (dray)·mi·nu·tes ge·chprècH
par minute supplémentaire	jede zusätzliche Minute	yé·de tsou·zéts·li·cHe mi·nou·te

Quel est votre/ton numéro de téléphone ?
Wie ist Ihre/deine Telefonnummer? pol/fam vî isst î·re/day·ne té·lé·fôn·nou·mer

Le numéro est...
Die Nummer ist...   dî *nou*·mer ist...

Où est la cabine téléphonique la plus proche ?
Wo ist das nächste   vô isst das *nécHs*·te
öffentliche Telefon?   euh·fénnt·li·cHe té·lé·*fôn*

Je souhaite acheter une carte téléphonique.
Ich möchte eine   icH *meucH*·te ay·ne
Telefonkarte kaufen.   té·lé·*fôn*·kar·te *kao*·fén

Puis-je parler à... ?
Kann ich mit ... sprechen?   kan icH mit ... chpré·cHen

Ça a coupé.
Ich bin unterbrochen worden.   icH binn oun·ter·*bro*·Rchénn *vor*·dénn

Pourriez-vous lui dire que j'ai appelé ?
Bitte sagen Sie ihm/ihr, dass ich   *bi*·te zâ·guénn zî îmm/îr dass icH
angerufen habe. m/f   *ann*·gué·rou·fén *hâ*·be

Téléphone portable

Je voudrais un(e)...	Ich hätte gern...	icH *he*·te guérn...
adaptateur	einen Adapter	ay·nénn a·*dap*·ter
pour prise	für die	fur dî
électrique	Steckdose	chtek·*dô*·ze
chargeur pour	ein Ladegerät	ayn *lâ*·de·gué·rét
mon portable	für mein Handy	fur mayn *hen*·di
portable à louer	ein Miethandy	ayn *mît*·hénn·di
portable à carte	ein Handy mit	ayn *hénn*·di mit
prépayée	Prepaidkarte	*prî*·péyd·kar·te
carte SIM pour	eine SIM-Karte	ay·ne zim·kar·te
votre réseau	für Ihr Netz	fur îr nets

Combien ça coûte ?
Wie hoch sind die Gebühren ?   vî hôRch zint dî gué·*bu*·ren

(30 cents) par (30) secondes.
(30 Cent) für   (*dray*·sicH sent) fur
(30) Sekunden.   (*dray*·sicH) ze·*koun*·den

Internet

Où puis-je trouver un cybercafé ?
Wo ist hier ein Internet-Café? vô isst hîr ayn *inn*·ter·net·ka·fé

J'aimerais...	*Ich möchte...*	icH *meucH*·tè...
consulter mes e-mails	*meine E-Mails checken*	*may*·ne *î*·mayls che·ken
me connecter à Internet	*Internetzugang haben*	*in*·ter·net·tsou·gang hâ·bénn
utiliser une imprimante	*einen Drucker benutzen*	*ay*·nen *drou*·ker be·*nu*·tsen
utiliser un scanner	*einen Scanner benutzen*	*ay*·nen *ska*·ner bé·*nou*·tsen

J'aimerais...	*Ich möchte gern ...*	icH *meucH*·tè guérn...
graver un CD	*eine CD brennen*	*ay*·ne tsé·*dé* bré·nen
télécharger mes photos	*meine Fotos herunterladen*	*may*·ne fo·tos hé·roun·ter·*la*·den

Puis-je connecter mon ... à cet ordinateur ?	*Kann ich ... mit diesem Computer verbinden?*	kan icH ... mit *dî*·zem kom·*pyou*·tér fer·*binn*·dénn
appareil photo	*meine Kamera*	*may*·ne ka·*mé*·ra
disque dur portable	*meine tragbare Festplatte*	*may*·ne *trâg*·ba·re fest·pla·te

Combien ça coûte pour... ?	*Was kostet es... ?*	vas *kos*·tet ess...
(5) minutes	*für (fünf) Minuten*	fur (funf) mi·*nou*·tén
une heure	*pro Stunde*	prô *chtoun*·de
une page	*pro Seite*	prô *zay*·te

Auriez-vous... ?	*Haben Sie... ?*	hâ·ben zî...
un Mac	*Macs*	méks
un PC	*PCs*	pé·*tsés*
un lecteur Zip	*ein Zip-Laufwerk*	ayn *tsip*·laof·vérk

TRANSPORTS
Orientation

Où puis-je trouver (une banque) ?
Wo ist (eine Bank)?
vô isst (ay·ne bangk)

Dans quelle direction puis-je trouver (des toilettes publiques) ?
In welcher Richtung ist (eine öffentliche Toilette)?
in vèl·cHeu *ricH*·tung isst (ay·ne euh·fénnt·li·cHe to·a·*lé*·tè)

Je cherche (la cathédrale).
Ich suche (den Dom).
icH *zou*·Rche (dén dôm)

Quelle est l'adresse ?
Wie ist die Adresse?
vî isst dî a·*dre*·se

Pouvez-vous me montrer (sur la carte) ?
Können Sie es mir (auf der Karte) zeigen?
ker·nen zî ess mîr (aof dér *kar*·te) tsay·guénn

C'est à quelle distance ?
Wie weit ist es?
vî *vayt* isst ess

Comment puis-je m'y rendre ?
Wie kann ich da hinkommen?
vî kan icH dâ *hin*·ko·mén

C'est...	Es ist...	ess isst...
derrière...	*hinter...*	*hinn*·tér...
à côté de...	*neben...*	*né*·bén...
loin	*weit weg*	vayt vek
ici	*hier*	hîr
devant...	*vor...*	fôr...
à gauche	*links*	linngks
tout près	*nahe*	*nâ*·e
à l'angle	*an der Ecke*	an dér *é*·kè
en face de...	*gegenüber...*	gé·guénn·*u*·bér...
à droite	*rechts*	recHts
tout droit	*geradeaus*	gué·râ·de·*aos*
là-bas	*dort*	dort

Tournez…	Biegen Sie … ab.	bî-guénn zî … ap
à l'angle	an der Ecke	an dér é-ke
au feu	bei der Ampel	bay dér *amm*-pél
à gauche/droite	links/rechts	lingks/recHts
C'est…	Es ist … entfernt.	ess isst … ent-*fernt*
à (5) minutes	(5) Minuten	(funf) mi-*nou*-tén
à (100) mètres	(100) Meter	(*houn*-dért) mé-ter
nord	Norden m	*nor*-dén
sud	Süden m	*zu*-dén
est	Osten m	*os*-tén
ouest	Westen m	*ves*-tén

Circuler

À quelle heure part le… ?	Wann fährt … ab?	van fairt … ap
bateau	das Boot	dass bôt
bus	der Bus	dér bous
train	der Zug	dér tsouk

À quelle heure part le … bus ?	Wann fährt der … Bus?	van fért dér … bous
premier	erste	erst-té
dernier	letzte	*lets*-té
prochain	nächste	*néRchs*-té

À quelle heure décolle l'avion ?
Wann fliegt das Flugzeug ab?   vânn flîkt das *flouk*-tsoyk ab

Cette place est-elle libre ?
Ist dieser Platz frei?   ist *dî*-zér plats fray

C'est ma place.
Dies ist mein Platz.   *dîz* isst mayn plats

Pourriez-vous me dire quand nous arriverons à (Kiel) ?
Könnten Sie mir bitte   *keun·tén zî mir bi·te*
sagen, wann wir in   *zâ·gén vann vîr in*
(Kiel) ankommen?   *(kîl) ann·ko·mén*

Je descends ici.
Ich möchte hier   *icH meuhcH·te hir*
aussteigen.   *aos·chtay·guén*

Billets et bagages

Où puis-je acheter un billet ?
Wo kann ich eine   *vô kann icH ay·ne*
Fahrkarte kaufen?   *fâr·kar·te kao·fén*

Faut-il réserver ?
Muss ich einen Platz   *mouss icH ay·nén plats*
reservieren?   *ré·zer·vî·ren*

Combien ça coûte ?
Was kostet das?   *vass kos·tét dass*

Combien de temps dure le trajet ?
Wie lange dauert die Fahrt?   *vî lanng·é dao·ert dî fârt*

Est-ce direct ?
Ist es eine direkte Verbindung?   *isst es ay·né di·rek·té fer·bin·doung*

Puis-je avoir un billet en stand-by ?
Kann ich ein Standby-Ticket   *kann icH ayn chténd·baï·ti·ket*
bekommen?   *be·ko·mén*

À quelle heure est l'enregistrement ?
Wann muss ich   *vann mouss icH*
einchecken?   *ayn·tché·kén*

Avez-vous l'air conditionné ?
Gibt es eine Klimaanlage?   *gipt es ay·ne klî·ma·ann·lâ·gué*

Où sont les toilettes ?
Wo ist die Toiletten?   *vô isst dî to·a·lé·tén*

Un billet ... pour (Berlin).	Eine ... nach (Berlin).	ay·né ... naRch (ber·lîn)
1re classe	Fahrkarte erster Klasse	fâr·kar·té ers·ter kla·sse
2de classe	Fahrkarte zweiter Klasse	fâr·kar·té tsvay·ter kla·sse
enfant	Kinderfahrkarte	kinn·dér·fâr·kar·té
aller simple	einfache Fahrkarte	ayn·fa·Rché fâr·kar·té
aller-retour	Rückfahrkarte	ruk·fâr·kar·té
étudiant	Studentenfahrkarte	chtou·dén·ténn·fâr·kar·té

J'aimerais bien un siège...	Ich hätte gern einen...	icH hé·té guèrn ay·nén...
côté couloir	Platz am Gang	plats am·gangg
côté fenêtre	Fensterplatz	féns·ter·plats
fumeur	Raucherplatz	rao·Rcher·plats
non fumeur	Nichtraucherplatz	nicHt·rao·Rcher·plats

J'aimerais ... mon billet, s'il vous plaît.	Ich möchte meine Fahrkarte bitte...	icH meuhRch·té may·ne fâr·kar·té bi·te...
annuler	zurückgeben	tsou·ruk·gé·bén
modifier	ändern lassen	én·dern la·ssén
confirmer	bestätigen lassen	bé·chté·ti·guén la·ssén

Mes bagages ont été...	Mein Gepäck ist...	mayn gué·pek isst ...
endommagés	beschädigt	bé·ché·dikt
perdus	verloren gegangen	fer·lô·ren gué·gangg·én
volés	gestohlen worden	gué·chtô·lén vor·dén

Y-a-t-il une consigne automatique?

Gibt es hier ein Gepäckschließfach?

gîpt ess hîr ayn gué·pék·chliss·fach

54

Bus, métro, taxi et train

Quel bus va... ?	*Welcher Bus fährt...?*	*vél·cHér bouss fért...*
à Cologne	*nach Köln*	naRch keuhln
au centre-ville	*zum Stadt-zentrum*	tsoum chtat·tsén·troum
à la gare	*zum Bahnhof*	tsoum *bân·hôf*

Quelle gare est-ce ?
Welcher Bahnhof ist das?   vèl·cHer *bânn·hôf* isst dass

Quel est le prochain arrêt ?
Welcher ist der nächste Halt?   vèl·cHér isst dér *nècHs·*té halt

Ce train s'arrête-t-il à (Freiburg) ?
Hält dieser Zug in (Freiburg)?   hélt *dï·*zer tsouk in (*fray·*bourg)

Dois-je prendre une correspondance ?
Muss ich umsteigen?   mouss icH *oum·*chtay·guén

Quel est le wagon... ?	*Welcher Wagen ...?*	*vél·*cHér *vâ·*guén...
1re classe	*ist erste Klasse*	isst *ers·*té *kla·*ssé
restaurant	*ist der Speisewagen*	isst dér *chpay·*zé·*vâ·*guén
pour Munich	*fährt nach München*	fèrt naRch *munn·*cHénn

J'aimerai un taxi pour...	*Ich hätte gern ein Taxi für...*	icH *hé·*té guérn ayn *tak·*si fur...
(9h)	*(9 Uhr)*	(noyn our)
tout de suite	*sofort*	zo·*fort*
demain	*morgen*	*mor·*guén

Êtes-vous libre ?
Sind Sie frei?   zint zî fray

Combien coûte la course jusqu'à… ?
Was kostet es bis…?   vas *kos*·tét ess biss…

Veuillez me conduire à (cette adresse).
Bitte bringen Sie mich zu   *bi*·te *brinng*·énn zî micH tsou
(dieser Adresse).   (*dî*·zer a·*dré*·seu)

Pourriez-vous mettre le compteur ?
Schalten Sie bitte den   *chal*·tén zî *bi*·te dén
Taxameter ein.   tak·sa·*mé*·ter ayn

Pourriez-vous ralentir.
Fahren Sie bitte langsamer.   *fâ*·rén zî *bi*·te *lanng*·za·mer

Pourriez-vous m'attendre ici.
Bitte warten Sie hier.   *bi*·te var·tén zê hîr

Arrêtez-vous…	*Halten Sie…*	*hal*·tén zî…
au coin	*an der Ecke*	an dér *é*·ké
ici	*hier*	hîr

Location de véhicules

Je souhaiterais	*Ich möchte*	icH *meuhcH*·té
louer un(e)…	*… mieten.*	… *mî*·tén
4x4	*ein Allradfahrzeug*	ayn *al*·råt·fâr·tsoyk
voiture	*ein Fahrzeug*	ayn *fâr*·tsoyk
automatique	*mit Automatik*	mit ao·to·*mâ*·tik
manuelle	*mit Schaltung*	mit *chal*·toung
moto	*ein Motorrad*	ayn *mô*·tor·råt

Quel est le	*Wie viel kostet*	vî fîl *kos*·tét
prix par… ?	*es pro…?*	es prô…
heure	*Stunde*	*chtoun*·dé
jour	*Tag*	tåk
semaine	*Woche*	*vo*·Rchè

Quelle est la limite de vitesse... ?	Was ist die Höchstgeschwindigkeit...?	vas isst dî heuhcHst·gué·chvinn·dicH·kait...
en ville	in der Stadt	in dér chtat
à la campagne	auf dem Land	aof dém lant
sur l'autoroute	auf der Autobahn	aof dér ao·to·bân

Est-ce la route pour... ?
Führt diese Straße nach ... ?   furt dî·zé chtrâ·ssé naRch...

(Combien de temps) Puis-je me garer ici ?
(Wie lange) Kann ich hier parken?   (vî lang·e) kan icH hîr par·ken

Où puis-je trouver une station-service ?
Wo ist eine Tankstelle?   vô ist ay·ne tangk·chte·le

diesel	Diesel m	dî·zel
au plomb	verbleites Benzin n	fer·blay·tes ben·tsîn
GPL	Autogas n	ao·to·gâs
sans plomb	bleifreies Benzin n	blay·frai·es ben·tsîn

Signalisation routière

Ausfahrt	aos·fârt	**Sortie**
Baustelle	bao·chté·le	**Attention travaux**
Einbahnstraße	ayn·bàn·chtrâ·ssé	**Sens unique**
Einfahrt	ayn·fârt	**Entrée**
Einfahrt	ayn·fâr	**Défense d'entrer**
verboten	fer·bô·tén	
Gefahr	gué·fâr	**Danger**
Halteverbot	hal·té·fer·bôt	**Arrêt interdit**
Mautstelle	maot·chté·lè	**Péage**
Parkverbot	park·fer·bôt	**Stationnement interdit**
Sackgasse	zak·gua·ssé	**Voie sans issue**
Stopp	chtop	**Stop**
Überholverbot	u·ber·hôl·fer·bôt	**Défense de doubler**
Umleitung	oum·lay·toung	**Déviation**

57

HÉBERGEMENT
Trouver un hébergement

Où puis-je trouver un(e)... ?	Wo ist...?	vô isst...
camping	ein Campingplatz	ayn *kémm*·pinng·plats
pension	eine Pension	*ay*·nè pâng·*zyôn*
hôtel	ein Hotel	ayn ho·*tél*
auberge	ein Gasthof	ayn *gast*·hôf
chambre d'hôte	ein Privatzimmer	ayn pri·*vât*·tsi·mer
auberge de jeunesse	eine Jugendherberge	*ay*·nè *you*·guénnt·hér·bér·gué

Pouvez-vous me recommander un endroit... ?	Können Sie etwas ... empfehlen?	*keuh*·nénn zî et·vas... emp·*fé*·lénn
bon marché	Billiges	*bi*·li·gués
bien	Gutes	*gou*·tés
luxueux	Luxuriöses	louk·sou·ri·*euh*·séss
proche	in der Nähe	inn dér *né*·e
romantique	Romantisches	ro·*mann*·ti·chéss

Quelle est l'adresse ?	Wie ist die Adresse?	vî isst dî a·*dré*·sseu

Pour répondre à ces questions, voir le chapitre **TRANSPORTS**, p. 51.

Réservation

Je souhaite réserver une chambre, s'il vous plaît.
Ich möchte bitte ein Zimmer reservieren.   icH *meuhcH*·te *bi*·te ayn *tsi*·mer ré·zér·*vî*·ren

J'ai fait une réservation.
Ich habe eine Reservierung.   icH *hâ*·be *ay*·nè ré·zér·*vî*·roung

Mon nom est…	*Mein Name ist…*	mayn *nâ*·mè isst…
Avez-vous	*Haben Sie ein…?*	*hâ*·bén zê ayn…
une chambre…?		
simple	*Einzelzimmer*	*ayn*·tsel·tsi·mer
double	*Doppelzimmer*	*do*·pel·tsi·mer
à lit double	*Zimmer mit einem*	tsi·mer mit *ay*·ném
	Doppelbett	*do*·pél·bét
à lits jumeaux	*Zimmer mit zwei*	tsi·mer mit tsvay
	Einzelbetten	*ayn*·tsel·bé·tén
Combien	*Wie viel kostet*	vê *fêl* kos·tet
est-ce par…?	*es pro…?*	ess prô …
nuit	*Nacht*	naRcht
personne	*Person*	per·*zôn*
semaine	*Woche*	vo·Rchè

Pour (3) nuits/semaines.
Für (drei) Nächte/Wochen. fur (dray) nècH·tè/vo·Rchénn

Du (2 juillet) au (6 juillet).
Vom (2. Juli) bis vom (*tsvay*·tén *you*·li) bis
zum (6. Juli). tsoum (*zeks*·tén *you*·li)

Puis-je la voir ?
Kann ich es sehen? kann icH es *zé*·enn

C'est d'accord. Je la prends.
Es ist gut, ich nehme es. es ist goute icH *né*·mè ess

Dois-je payer d'avance ?
Muss ich im Voraus bezahlen? mouss icH im *fô*·raos be·*tsâ*·lén

Puis-je payer par…?	*Nehmen Sie…?*	*né*·mén zî …
carte de crédit	*Kreditkarten*	kré·*dît*·kar·tén
chèque de voyage	*Reiseschecks*	*ray*·ze·cheks

Renseignements

À quelle heure/Où est servi le petit-déjeuner ?
Wann/Wo gibt es Frühstück?   vann/vô gipt es *fru*·chtuk

Merci de me réveiller à (7)h.
Bitte wecken Sie mich   *bi*·te *ve*·ken zî micH
um (sieben) Uhr.   oum (*zi*·ben) our

Est-ce que vous changez de l'argent ?
Wechseln Sie hier Geld?   *vek*·seln zî hîr gélt

Puis-je avoir…	*Könnte ich bitte*	*keuhnn*·té icH *bi*·te
s'il vous plaît ?	*… haben?*	*… hâ·bén*
un reçu	*eine Quittung*	*ay*·ne *kvi*·toung
ma clé	*meinen Schlüssel*	*may·nénn chlu*·sel

Puis-je utiliser la/le…?	*Kann ich… benutzen?*	kan icH … bé·*nou*·tsén
cuisine	*die Küche*	dî *ku*·cHe
machine à laver	*eine Waschmaschine*	*ay*·ne *vach*·ma·chî·nè
téléphone	*das Telefon*	das té·le·*fôn*

Avez-vous un(e)…?	*Haben Sie…?*	*hâ*·ben zî …
ascenseur	*einen Aufzug*	*ay*·nénn *aof*·tsouk
service blanchisserie	*einen Wäscheservice*	*ay*·nénn *ve*·che·sér·vis
accès Internet	*einen Internet-*	*ay*·nénn inn·tér·nét·
	anschluß	*ann*·chlouss
coffre-fort	*einen Safe*	*ay*·nénn sayf
piscine	*ein Schwimmbad*	ayn *chvim*·bât

C'est trop…	*Es ist zu…*	ess isst tsou…
froid	*kalt*	kalt
sombre	*dunkel*	*doung*·kel
bruyant	*laut*	laot
petit	*klein*	klayn

L'/Le/Les…ne fonctionne(nt) pas.	…funktioniert nicht.	…foungk·tsyo-*nîrt* nicHt
air conditionné	Die Klimaanlage	dê *klî*·ma·ann·*lâ*·gué
ventilateur	Der Ventilator	dér vénn·ti·*lâ*·tor
toilettes	Die Toilette	dî to·a·*le*·te

Puis-je avoir un(e) (autre)… ?	Kann ich (noch) einen/eine/ein … bekommen? m/f/n	kann icH (noRch) ay·nénn/*ay*·né/aynn … bé·ko·ménn
couverture	Decke f	*dé*·kè
drap housse	Bettbezug m	*bét*·bé·tsouk
taie d'oreiller	Kopfkissenbezug m	kopf·ki·ssénn·bé·tsouk
drap	Bettlaken n	*bét*·lâ·kén
serviette	Handtuch n	hannt·touRch

Quitter les lieux

À quelle heure faut-il quitter la chambre ?
Wann muss ich auschecken?   vann mouss icH *aos*·tché·kén

Puis-je laisser mes bagages jusqu'à… ?	Kann ich meine Taschen bis … hier lassen?	kann icH *may*·nè ta·chén bis … hîr *la*·ssénn
ce soir	heute Abend	hoy·té *â*·bent
mercredi	Mittwoch	*mit*·voRch
la semaine prochaine	nächste Woche	nécHs·te vo·cHé

Puis-je récupérer …, s'il vous plaît ?	Könnte ich bitte … haben?	keuhn·té icH *bi*·te … hâ·ben
ma caution	meine Anzahlung	*may*·ne an·tsâ·loung
mon passeport	meinen Pass	*may*·nénn pass
mes objets de valeur	meine Wertsachen	*may*·nè vert·za·cHénn

AFFAIRES
Présentations

Je participe à...	*Ich nehme an ... teil.*	icH *né*·me ann ... tayl
une conférence	*einer Konferenz*	*ay*·ner konn·fé·*rénnts*
une formation	*einem Kurs*	*ay*·ném kours
une réunion	*einem Meeting*	*ay*·ném *mî*·ting
Je suis...	*Ich bin ...*	icH bin ...
chez (société...)	*bei (Firma...)*	bay (*fir*·ma ...)
ici avec mon/ma collègue	*mit meinem/meiner* m/f	mit *may*·ném/*may*·ner
	Kollegen hier m	ko·*lé*·guénn hîr
	Kollegin hier f	ko·*lé*·guin hîr
avec (2) autres personnes	*mit (zwei) anderen*	mit (tsvay) *ann*·dé·ren
	Personen hier	pér·*sô*·nénn hîr

Je suis seul(e).
Ich bin allein. icH bin a·*layn*

Voici ma carte de visite.
Hier ist meine Karte. hîr ist *may*·ne *kar*·te

Je demeure à/au ..., chambre...
Ich wohne im ..., Zimmer ... icH *vô*·ne imm ... *tsi*·mer ...

Affaire en cours

Où se trouve/se tient le/la...?	*Wo ist ...?*	vô ist...
centre d'affaires	*das Tagungszentrum*	das *tâ*·gungks·tsen·troum
conférence	*die Konferenz*	dî kon·fe·*rents*
réunion	*das Meeting*	das *mî*·ting

J'ai rendez-vous avec/chez…
Ich habe einen Termin bei … icH *hâ·*be *ay·*nénn ter·*mîn* bay…

J'ai besoin d'un interprète.
Ich brauche einen Dolmetscher. icH brao·cHe *ay·*nen *dol·*mét·chér

J'attends un…	*Ich erwarte…*	icH ér·*var·*te…
appel	*einen Anruf*	*ay·*nen *an·*ruf
fax	*ein Fax*	ayn faks

Je voudrais…	*Ich möchte gern…*	icH *meuhcH* guèrn…
une connection	*eine Verbindung*	*ay·*ne fer·*binn·*doung
à internet	*ins Internet*	ins *in·*ter·nét
utiliser un	*einen Computer*	*ay·*ne kom·pyou·tér
ordinateur	*benutzen*	be·*nu·*tsen
envoyer	*eine*	*ay·*ne
un e-mail	*E-Mail senden*	*î·*mayl zénn·dénn
envoyer un fax	*ein Fax senden*	ayn faks zénn·dénn

Il y a-t-il…?	*Gibt es hier …?*	gipt es hîr…
un rétro-projecteur	*einen Daten-*	*ay·*nen *da·*ten·
	projektor	pro·yek·tor
un tableau blanc	*ein Whiteboard*	ayn *vait·*bord

Pour plus de vocabulaire, voir **SERVICES**, p. 47.

Affaire conclue

C'était très bon/bien.
Das war sehr gut. das vâr zér gout

Ça vous dit d'aller boire/manger quelque chose ?
Sollen wir noch etwas *zo·*len vîr noRch *et·*vas
trinken/essen gehen? tring·kén/e·ssen *gé·*en

Je vous invite.
Ich lade Sie ein. icH *lâ·*de zî ayn

SÉCURITÉ ET SANTÉ

Urgences

Au secours !	*Hilfe!*	*hil*·feu
Arrêtez !	*Halt!*	halt
Allez-vous-en !	*Gehen Sie weg!*	*gué*·énn zî vék
Au voleur !	*Dieb!*	dîb
Au feu !	*Feuer!*	*foy*·ér
Attention !	*Vorsicht!*	for·*zicHt*

Appelez ... !	*Rufen Sie ... !*	rou·*fénn* zî
un médecin	*einen Arzt*	*ay*·nénn artst
une ambulance	*einen Krankenwagen*	*ay*·nénn *krang*·kénn·vâ·génn
la police	*die Polizei*	dî po·li·*tsay*

Pouvez-vous m'aider/nous aider, s'il vous plaît ?
Könnten Sie mir/   *keuhn*·ténn zî mîr/
uns bitte helfen?   ouns *bi*·te *hél*·fénn

Je dois téléphoner.
Ich muss das Telefon   icH mouss das té·lé·*fôn*
benutzen.   bé·*nou*·tsénn

Je suis malade.
Ich bin krank.   icH bin krank

Je suis perdu(e).
Ich habe mich verirrt.   icH *hâ*·beu micH fer·*irt*

Police

Où est le commissariat ?
Wo ist das Polizeirevier?   vô isst das po·li·*tsay*·ré·*vîr*

Je viens déposer une plainte.
Ich möchte eine   icH *meuhcH*·te *ay*·ne
Straftat melden.   *chtrâf*·tât *mél*·dénn

J'ai été...	Ich bin ... worden.	icH bin ... *vor*·dénn
Il/Elle a été...	Er/Sie ist ... worden.	air/zî ist ... *vor*·dénn
agressé(e).	angegriffen	*an*·gué·gri·fénn
violé(e)	vergewaltigt	fer·gué·*val*·ticHt
volé(e)	bestohlen	bé·*chtô*·lénn
On m'a volé...	Man hat mir...	mann hat mîr...
	gestohlen.	gué·*chtô*·lénn
J'ai perdu...	Ich habe ... verloren.	icH *hâ*·be ... fer·*lô*·rénn
mon sac à dos	meinen Rucksack	*may*·nénn *rouk*·zak
mes bagages	meine Reisetaschen	*may*·ne *ray*·ze·ta·chénn
ma carte de crédit	meine Kreditkarte	*may*·ne kré·*dît*·karte
mon sac à main	meine Handtasche	*may*·ne *hannt*·ta·cheu
mes bijoux	meinen Schmuck	*may*·nénn chmouk
mon argent	mein Geld	mayn guélt
mes papiers	meine Papiere	*may*·ne pa·*pî*·re
mon passeport	meinen Pass	*may*·nénn pass
mes chèques de voyage	meine Reiseschecks	*may*·ne *ray*·ze·chèks
mon portefeuille	meine Brieftasche	*may*·ne *brîf*·ta·cheu
Je souhaite	Ich möchte	icH *meuhcH*·te
contacter	mich mit ... in	micH mit ... inn
mon...	Verbindung setzen.	fer·*bin*·doung ze·tsénn
consulat	meinem Konsulat	*may*·ném kon·zu·*lât*
ambassade	meiner Botschaft	*may*·nér *bôt*·chaft

Je suis assuré(e).
Ich bin versichert. icH bin fer·*zi*·cHért

J'ai une ordonnance pour ce médicament.
Ich habe ein Rezept für icH *hâ*·beu ayn ré·*tsépt* fur
dieses Medikament. dî·zès mé·di·ka·*ménnt*

65

Santé

Où se trouve le/la ... le/la plus proche ?	Wo ist der/die/das nächste...? m/f/n	vô ist dér/dî/das nécHs·teu...
dentiste	Zahnarzt m	tsân·artst
médecin	Arzt m	artst
hôpital	Krankenhaus n	krann·kénn·haos
opticien	Optiker m	op·ti·ker
pharmacie	Apotheke f	a·po·té·keu

Je voudrais voir un médecin (qui parle français).
Ich brauche einen Arzt   icH brao·cHe ay·nénn artst
(der Französisch spricht).   (dér frann·zeuh·sich chpricHt)

Puis-je voir un médecin femme ?
Könnte ich von einer   keuhn·te icH fon ay·nér
Ärztin behandelt werden?   érts·tin bé·hann·délt ver·dénn

Le médecin peut-il se déplacer à mon domicile ?
Könnte der Arzt hierher   keuhnn·te dér artst hîr·hér
kommen?   ko·ménn

Je n'ai plus de médicaments.
Ich habe keine   icH hâ·be kay·ne
Medikamente mehr.   mé·di·ka·ménn·te mér

Je suis vacciné(e) contre...	Ich bin gegen ... geimpft worden.	icH bin gué·guénn ... gué·immpft vor·dénn
l'hépatite A/B/C	Hepatitis A/B/C	hé·pa·ti·tis â/bé/tsé
le tétanos	Tätanus	té·ta·nous
la typhoïde	Typhus	tu·fous

J'ai besoin de...	Ich brauche ...	icH brao·cHeuh ...
nouvelles lentilles de contact	neue Kontaktlinsen	noy·euh kon·takt·linn·zen
lunettes	eine neue Brille	ay·ne noy·euh bri·le

Condition physique et allergies

Je suis malade.
Ich bin krank.   icH bin krangk

Ça me fait mal ici.
Es tut hier weh.   ess tout hîr *vé*

J'ai vomi.
Ich habe mich übergeben.   icH *hâ*·beu micH *u*·bér·*gué*·bénn

Je ne dors plus.
Ich kann nicht schlafen.   icH kann nicHt chlâ·fénn

Je suis…

anxieux/se	*Ich habe Ängste.*	icH *hâ*·beu *énngs*·te
déprimé(e)	*Ich bin deprimiert.*	icH bin dé·pri·*mîrt*
étourdi(e)	*Mir ist schwindelig.*	mîr isst chvin·dé·licH
grelottant(e)	*Mich fröstelt.*	micH *freuhs*·télt

Je me sens…

mieux	*mich besser.*	micH be·sér
bizarre	*Mir ist komisch.*	mîr ist *kô*·mich
nauséeux/se	*Mir ist übel.*	mîr isst *u*·bel
faible	*Ich fühle mich schwach.*	icH *fu*·le micH chvaRch
plus mal	*Ich fühle mich schlechter.*	icH *fu*·le micH chlecH·ter

J'ai…   *Ich habe…*   icH *hâ*·be…

de l'asthme	*Asthma* n	*ast*·ma
la diarrhée	*Durchfall* m	*durcH*·fal
de la fièvre	*Fieber* n	*fî*·bér
mal à la tête	*Kopfschmerzen* pl/f	*kopf*·chmér·tsénn
des problèmes de cœur	*Herzbeschwerden* pl/f	*hérts*·bé·chvér·dén
des douleurs	*Schmerzen* pl/m	*chmér*·tsénn
des maux de dents	*Zahnschmerzen* pl/f	*tsân*·chmér·tsénn

J'ai remarqué un gonflement ici.
Ich habe hier einen
Knoten bemerkt.
icH *hâ*·beu hìr *ay*·nénn
knô·ténn bé·*merkt*

(Je pense que) Je suis enceinte.
(Ich glaube) Ich bin schwanger.
(icH *glao*·beu) icH bin *chvang*·er

Il/Elle a eu récemment...
Er/Sie hatte vor kurzem ...
ér/zî ha·teu fôr *kour*·tsémm

Je prends des médicaments contre...
Ich nehme
Medikamente gegen ...
icH *né*·meu
mé·di·ka·*ménn*·te *gué*·guénn ...

J'ai besoin de quelque chose pour...
Ich brauche etwas gegen ...
icH brao·cHe ét·vas *gué*·guénn ...

Ai-je besoin d'une ordonnance pour... ?
Brauche ich für ...
ein Rezept?
brao·cHeu icH fur ...
ayn ré·*tsépt*

Combien de fois par jour ?
Wie oft am Tag?
vî oft amm tâk

Y a-t-il un risque d'assoupissement ?
Macht es müde?
maRcht es *mu*·deu

Je fais des allergies cutanées.
Ich habe eine Hautallergie.
icH *hâ*·beu *ay*·ne haot·a·lér·guî

Je suis allergique à/aux...	*Ich bin allergisch gegen...*	icH bin a·*lér*·guich *gué*·guénn ...
antibiotiques	*Antibiotika*	ann·ti·bi·*ô*·ti·ka
anti-inflammatoires	*entzündungs-hemmende Mittel*	énn·*tsun*·doungks·hè·ménn·de *mi*·tél
aspirine	*Aspirin*	as·pi·*rînn*
piqûres d'abeilles	*Bienenstiche*	*bî*·nénn·chti·cHè
codéine	*Kodein*	ko·dé·*în*
pénicilline	*Penizillin*	pé·ni·tsi·*lîn*
pollen	*Pollen*	*po*·len

À propos des allergies et régimes spéciaux, voir **RESTAURANT**, p. 34.

Chiffres

0	*null*	noul	17	*siebzehn*	*zíp·tsênn*	
1	*eins*	aynts	18	*achtzehn*	*acHt·tsênn*	
2	*zwei*	tsvay	19	*neunzehn*	*noyn·tsênn*	
3	*drei*	dray	20	*zwanzig*	*tsvan·tsikh*	
4	*vier*	fir	21	*einundzwanzig*	*ayn·ount·tsvan·tsikh*	
5	*fünf*	funf	22	*zweiundzwanzig*	*tsvay·ount·tsvan·tsikh*	
6	*sechs*	zeks	30	*dreißig*	*dray·tsikh*	
7	*sieben*	zí·ben	40	*vierzig*	*fir·tsikh*	
8	*acht*	acHt	50	*fünfzig*	*funf·tsikh*	
9	*neun*	noyn	60	*sechzig*	*zecH·tsikh*	
10	*zehn*	tsén	70	*siebzig*	*zíp·tsikh*	
11	*elf*	elf	80	*achtzig*	*acHt·tsikh*	
12	*zwölf*	tsveuhlf	90	*neunzig*	*noyn·tsikh*	
13	*dreizehn*	*dray·tsênn*	100	*hundert*	houn·dért	
14	*vierzehn*	*fir·tsênn*	1 000	*tausend*	tao·zénnt	
15	*fünfzehn*	*funf·tsênn*	1 000 000	*eine*	*ay·né*	
16	*sechzehn*	*zeks·tsênn*		*Million*	mil·*yônn*	

Couleurs

foncé	*dunkel*	*doung·kel*	clair	*hell*	hel
noir	*schwarz*	chvarts	rose	*rosa*	*rô·za*
bleu	*blau*	blao	violet	*violett*	vio·lètt
marron	*braun*	braon	rouge	*rot*	rôt
vert	*grün*	grun	blanc	*weiß*	vays
orange	*orange*	*o·rângje*	jaune	*gelb*	guélp

Heures et dates

Quelle heure est-il ?	Wie spät ist es?	vî chpét isst éss
Il est (10) h.	Es ist (zehn) Uhr.	éss isst (tsén) our
1h15.	Viertel nach eins.	fîr·tél naRch ayns
1h20.	Zwanzig nach eins.	tsvânn·tsicH naRch ayns
1h30.	Halb zwei.	halp tsvay
1 heure moins 20.	Zwanzig vor eins.	tsvan·tsicH fôr ayns
1 heure moins le quart.	Viertel vor eins.	fîr·tél ô ayns
Il est 2h12.	Es ist 12 nach 2.	ess isst tsveulf nach tsvay
Il est 1h...	Es ist ein Uhr ...	éss isst ayn our ...
du matin	vormittags	fôr·mi·tâks
de l'après-midi	nachmittags	naRch·mi·tâks

lundi	Montag	môn·tâk
mardi	Dienstag	dîns·tâk
mercredi	Mittwoch	mite·voRch
jeudi	Donnerstag	do·nérss·tâk
vendredi	Freitag	fray·tâk
samedi	Samstag	zamms·tâk
dimanche	Sonntag	zon·tâk

janvier	Januar	yânn·ou·âr
février	Februar	fé·brou·âr
mars	März	mérts
avril	April	a·prile
mai	Mai	may
juin	Juni	you·ni
juillet	Juli	you·li
août	August	ao·gouste
septembre	September	zépe·témm·bér
octobre	Oktober	ok·tô·bér
novembre	November	no·vemm·bér
décembre	Dezember	dé·tsémm·bér

été	*Sommer*	*zôm·mer*
automne	*Herbst*	*hérpst*
hiver	*Winter*	*vînn·ter*
printemps	*Frühling*	*fru·linng*

Quelle est la date d'aujourd'hui ?
Welches Datum?   *vél·cHes dâ·toum*

Quel jour sommes-nous ?
Der Wievielte ist heute?   *dér vî·fil·té isst hoy·te*

Nous sommes le (18 décembre).
Heute ist der (18   *hoy·té isst dér (aRch·tsénn·te*
Dezember).   *dé·tzemm·ber)*

depuis (mai)	*seit (Mai)*	zayt (may)
jusqu'à (juin)	*bis (Juni)*	bis (*you·*ni)
la nuit dernière	*vergangene Nacht*	fer·*guang·*é·né naRcht
la semaine dernière	*letzte Woche*	*léts·*té vo·Rche
le mois dernier	*letzten Monat*	*léts·*ténn mô·nat
l'année dernière	*letztes Jahr*	*léts·*tés yâr
la semaine prochaine	*nächste Woche*	*nécHs·*te vo·Rche
le mois prochain	*nächsten Monat*	*nécHss·*tén mô·nat
l'année prochaine	*nächstes Jahr*	*nécHs·*tès yâr
hier...	*gestern ...*	*gués·*tern ...
après-midi	*Nachmittag*	*naRch·*mi·tâk
soir	*Abend*	*â·*bént
matin	*Morgen*	*mor·*guénne
demain...	*morgen ...*	*mor·*guén ...
après-midi	*Nachmittag*	*naRch·*mi·tâk
soir	*Abend*	*â·*bennt
matin	*früh*	fru

A

à bord *an Bord* m ann bort
à cause de *wegen* vé·guén
à l'étranger *im Ausland* n im aos·lannt
à travers *durch* dourcH
acheter *kaufen* kao·fénn
acompte *Anzahlung* f an·tsâ·loung
addition *Rechnung* f recH·noung
adresse *Adresse* f a·dré·seu
adulte *Erwachsene* m ér·vak·sé·ne
aéroport *Flughafen* m flouk·hâ·fénn
affaires • magasin *Geschäft* n gué·chéft
agence de voyages *Reisebüro* n ray·ze·bu·rô
aider *helfen* hel·fénn
aimer • apprécier *mögen* meuh·guénn
air conditionné *Klimaanlage* f
  klî·ma·ann·lâ·gué
alcool *Alkohol* m al·ko·hôl
Allemagne *Deutschland* n doytch·lant
allemand *deutsch* doytch
aller (à pied) • marcher *gehen* gué·génn
aller (en avion) • voler (dans les airs) *fliegen*
  flî·guénn
aller (en voiture, en train, etc.) • conduire
  fahren fâ·rénn
ambassade *Botschaft* f bôt·chaft
année (cette) *Jahr (dieses)* n yâr (di·zes)
anniversaire *Geburtstag* m gué·bourts·tâk
annuler *stornieren* chtor·nî·ren
appareil photo *Kamera* f ka·mé·ra
appartement *Wohnung* f vô·noung
après *nach* nâRch
après-midi (cet) *(hoy·te) Nachmittag* m
  (hoy·te) naRch·mi·tâk
arachide *Erdnüsse* pl/f ért·nu·se
argent *Geld* n guélt
arrêt de bus *Bushaltestelle* f
  bouss·hal·te·chté·le
arrivée *Ankunft* f ann·kounft
arriver *ankommen* ann·ko·ménn

art *Kunst* f kounst
artisanat *Handwerk* n hannt·vérk
  • *Kunstgewerbe* n kounst·gué·ver·beu
artiste *Künstler(in)* m/f kunst·lèr/(inn)
ascenseur *Lift* m lift
assez *genug* gué·nouk
assurance *Versicherung* f fer·zi·cHé·roung
attendre *warten* var·ténn
auberge de jeunesse *Jugendherberge* f
  you·guénnt·hér·bér·gué
au-dessus *über* u·bér
aujourd'hui *heute* hoy·te
aussi • également *auch* aoRch
auteur *Autor(in)* m/f ao·tôr(inn)
automatique *automatisch* ao·to·mâ·tich
autoroute *Autobahn* f ao·to·bân
autre *andere* an·dé·re
Autriche *Österreich* n euhs·ter·raycH
**avant • devant • il y a (3) jours • il y a peu de
  temps** *vor• vor (drei Tagen) • vor kurzem* fôr •
  fôr (dray tâ·guénn) • fôr kour·tsèm
avec *mit* mit
avenue *Allee* f a·lé
avion *Flugzeug* n flouk·tsoyk
avocat/avocate (loi) *Rechtsanwalt/
  Rechtsanwältin* m/f récHts·an·valt/
  recHts·an·vél·t(inn)
avoir *haben* hâ·bénn

B

bagage *Gepäck* n gué·pék
bain *Bad* n bât
balade à cheval *Ritt* m rit
bar *Lokal* n lo·kál
bateau *Boot* n bôt
bâtiment *Gebäude* n gué·boy·de
beau/belle *schön* cheuhn
beaucoup *viel* fil
bien *gut* gout
bienvenu *willkommen* vil·ko·ménn

bière *Bier* n bir

bijoux *Schmuck* m chmouk

billet (cinéma, musée, etc.) • **prix d'entrée** *Eintrittskarte* f *Eintrittspreis* m *ayn-trits-kar-te / ayn-trits-prays*

billet d'avion *Flugticket* n *flouk-ti-két*

billetterie d'un théâtre *Theaterkasse* f *té-â-ter-ka-se*

blanc *weiß* vays

boire *trinken* tring-kénn

bois *Holz* n holts

boisson *Getränk* n gué-trénngk

bon marché *billig* bi-licH

botte *Stiefel* m chti-fél

bouteille *Flasche* f flé-cheu

bouteille d'eau *Wasserflasche* f va-ser-fla-che

boutique de vêtements *Bekleidungsgeschäft* n bé-klay-doungk-gué-chéft

bouton *Knopf* m knopf

brosse à dents *Zahnbürste* f tsân-burs-teuh

bruyant *laut* laot

bureau de change *Geldwechsel* m guélt-vék-sel

bureau de poste *Postamt* n post-amt

bus *Bus* m bouss

C

cabine téléphonique *Telefonzelle* f té-le-fôn-tsé-le

cadeau *Geschenk* n gué-chénngk

café (boisson) *Kaffee* m ka-fé

café (lieu) *Café* n ka-fé

caisse *Kasse* f ka-sseu

camping *Campingplatz* m kém-pinng-plats

camping (faire du) *zelten* tsél-ténn

camping-car *Wohnwagen* m vôn-vâ-guén

capable (être) • **avoir la permission** • **pouvoir** *können* keuh-nénn

car *Fernbus* m férn-bouss

carnet de notes *Notizbuch* n no-tîts-bouRch

carte (menu) *Speisekarte* f chpay-ze-kar-te

carte d'étudiant *Studentenausweis* m chtou-dénn--tenn-aos-vays

carte d'identité *Personalausweis* m per-zo-nâl-aos-vays

carte de crédit *Kreditkarte* f kre-dît-kar-teu

carte routière *Straßenkarte* f chtrâ-sénn-kar-teuh

carte téléphonique *Telefonkarte* f té-le-fôn-kar-teuh

cassé *kaputt* ka-pout

cathédrale *Dom* m dôm

caverne *Höhle* f heuh-le

CD *CD* f tsé-dé

ce (mois)-ci *diesen (Monat)* dî-zénn (mô-nat)

ce soir *heute Abend* hoy-te â-bénnt

ceinture *Gürtel* m gur-tél

célibataire *ledig* lé-dicH

celui-là/celle-là *dieser/diese/dieses* m/f/n dî-zer/dî-ze/dî-ze

centimètre *Zentimeter* m tsénn-ti-mé-ter

centre *Zentrum* n tsénn-troum

centre-ville *Innenstadt* f î-nénn-chtat

céramique *Keramik* f ké-râ-mik

cette (semaine) *diese (Woche)* dî-ze vo-cHeuh

chacun/chacune/chaque *jeder/jede/jedes* m/f/n yé-der/yé-de/yé-dés

chambre *Zimmer* n tsi-mer

chambre à coucher *Schlafzimmer* n chlâf-tsi-mer

chambre d'hôte • **pension** *Pension* f pâng-zyôn

chambre simple *Einzelzimmer* n ayn-tsél-tsi-mer

changer *wechseln* vék-séln

changer (train) *umsteigen* oum-chtay-guén

chanter *singen* zing-énn

charmant *charmant* char-mannt

château • **serrure** *Schloss* n chloss

château fort *Burg* f bourk

chaud • **brûlant** *warm* • *heiß* varm • hays

73

chauffage *Heizgerät* n *hayts-gué-rét*
chauffage central *Zentralheizung* f *tsénn-trâl-hay-tsoung*
chemin *Weg* m *vék*
chèque *Scheck* m *chèk*
chèque de voyage *Reisescheck* m *ray-ze-chèk*
cher *teuer* *toy-ér*
cheveu/cheveux *Haar* n • *Haare* n/pl *hâr /hâr euh*
chiffre *Zahl* f *tsâl*
Chili *Chili* n *chi-li*
chrétien *Christ(in)* m/f *krist(tinn)*
chute d'eau *Wasserfall* m *va-ser-fal*
cigarette *Zigarette* f *tsi-gua-rè-teu*
cinéma *Kino* n *ki-no*
circuit organisé *Führung* f *fu-roung*
cirque *Zirkus* m *tsir-kous*
clair *hell* *hél*
classe économique *Touristenklasse* f *tou-ris-ténn-kla-se*
clé *Schlüssel* m *chlu-sel*
code postal *Postleitzahl* f *post-lay-tsâl*
coffre (voiture) *Kofferraum* m *ko-fer-raom*
coiffeur *Friseur(in)* m *fri-zeuhr(rinn)*
coin • angle *Ecke* f *è-keu*
collège *College* n *ko-lèdj*
collier *Halskette* f *hals-ke-te*
commande (restaurant) *Bestellung* f *bé-chte-loung*
comment *wie* vi
commissariat *Polizeirevier* n *po-li-tsay-re-vîr*
complet *ausgebucht* *aos-gué-bouRcht*
compte bancaire *Bankkonto* n *banngk-kon-to*
concert *Konzert* n *kon-tsért*
concombre *Gurke* f *gour-keu*
connaître *kennen* *ke-nénn*
consigne à bagages *Gepäckaufbewahrung* f *gué-pèk-aof bé-vâ-roung*
cornflakes *Cornflakes* pl/m *korn-fléks*
correct *richtig* *riCH-ticH*
côte *Küste* f *kus-teu*
coton *Baumwolle* f *baom-vo-le*

coucher du soleil *Sonnenuntergang* m *zo-nénn-oun-ter-gangq*
coupon (billet, tissu, etc.) *Coupon* m *kou-pong*
courir *laufen* *lao-fénn*
court (adj) *kurz* *kourts*
couscous *Couscous* m *kous-kous*
cousin(e) *Cousin(e)* m/f *kou-zeng/kou-zî-neu*
coûter *kosten* *kos-ténn*
couvent • monastère *Kloster* n *klôs-ter*
crème solaire *Sonnencreme* f *zo-nénn-krém*
crépuscule *Dämmerung* f *dé-me-roung*
cuir *Leder* n *lé-der*
cuisine *Küche* f *ku-cHe*
cuisiner *kochen* *ko-Rchénn*
cuisinier/cuisinière *Koch/Köchin* m/f *koRch/ keuh-cHinn*
curry (poudre de) *Curry(pulver)* n *keuh-ri(-poul-ver)*
cycle • vélo *Fahrrad* n *fâr-rât*

D

dans *in* *inn*
dangereux *gefährlich* *gué-fér-licH*
date *Datum* n *dâ-toum*
date de naissance *Geburtsdatum* n *gué-bourts-dâ-toum*
décalage horaire *Zeitunterschied* m *tsayt-oun-ter-chît*
décapsuleur *Flaschenöffner* m *fla-chénn-euhf-ner*
dedans *innen* *i-nénn*
dehors *draußen* *drao-sénn*
déjà *schon* *chôn*
déjeuner *Mittagessen* n *mi-tâk-è-sénn*
demain *morgen* *mor-guénn*
demain matin *morgen früh* *mor-guénn fru*
dentifrice *Zahnpasta* f *tsänn-pas-ta*
dentiste *Zahnarzt/Zahnärztin* m/f *tsänn-artst/ tsänn-erts-tin*

départ *Abfahrt* f ap-fàrt
derrière *hinter* hinn-ter
destination *(Reise)Ziel* n (ray-ze) tsïl
deux fois *zweimal* tsvay-mâl
devant nous *vor kurzem* fôr kour-tsèm
dictionnaire *Wörterbuch* n veuhr-ter-bouRch
dimanche *Sonntag* m zon-tâk
dîner *Abendessen* n â-bénnt-è-sénn
distributeur de billets (argent) *Geldautomat* m guélt-ao-to-mât
dormir *schlafen* chlâ-fénn
douane *Zoll* m tsol
douche *Dusche* f dou-cheu
drap *Bettlaken* n bèt-lâ-kénn
draps *Bettzeug* n bèt-tsoyk
droit (ligne) *gerade* gué-râ-de
droit d'entrée *Eintrittsgeld* n ayn-trits-guélt
droite (direction) *rechts* rècHts
dur (difficile) • lourd *schwer* chvér

E

eau *Wasser* n va-ser
eau gazeuse *Mineralwasser* n mi-né-râl-va-ser
écrire *schreiben* chray-bénn
éducation *Erziehung* f er-tsï-oung
égalité des chances *Chancengleichheit* f châng-sénn-glaycH-hayt
église • temple *Kirche* f kir-cHeu
elle • elles • ils *sie* zï
embarquer *besteigen* bé-chtay-guénn
emplacement de tente *Zeltplatz* m tsélt-plats
en (coton) *aus (Baumwolle)* aus (baom-vo-le)
en PCV (appel) *R-Gespräch* n ér-gué-chprècH
en sécurité *sicher* zi-cHér
encore *wieder* vi-dér
en-dessous • parmi *unter* oun-ter
enfants *Kinder* pl/n kinn-dér
enrhumé (être) *erkältet (sein)* ér-kél-tét (zayn)
ensemble *zusammen* tsou-za-ménn

entendre *hören* heuhr-rénn
entre *zwischen* tsvi-chénn
entrer *eintreten* ayn-tré-ténn
épicerie *Lebensmittelladen* m lé-bénns-mi-tel-lâ-dénn
épouse *Ehefrau* f é-euh-frao
essence *Benzin* n bénn-tsïnn
est *Osten* m os-ténn
étage *Stock* m chtok
étanche *wasserdicht* va-sér-dicHt
état civil *Familienstand* m fa-mï-li-énn-chtant
étonnant *erstaunlich* ér-chtaon-licH
être assis *sitzen* zi-tsénn
expérience *Erfahrung* f er-fâ-roung
exploitation *Ausbeutung* f aos-boy-toung
exposition *Ausstellung* f aos-chtè-loung

F

faire *tun* toun
faire du ski *skifahren* chï-fâ-rénn
fait main *handgemacht* hant-gué-maRcht
fatiguer *ermüden* ér-mu-dénn
femme *Frau* f frao
fenêtre *Fenster* n fénns-ter
fermé à clé *abgeschlossen* ap-gué-chlo-sénn
fermé *geschlossen* gué-chlo-sénn
fermer *schließen* chlï-sénn
fête *Fest* n fest
fièvre *Fieber* n fï-bér
fille *Mädchen* n mét-cHénn
football *Fußball* m fouss-bal
forêt *Wald* m valt
four *Ofen* m ô-fénn
fragile *zerbrechlich* tser-brecH-licH
frais *frisch* frich
France *Frankreich* n frangk-raycH
frère *Bruder* m brou-dér
froid *kalt* kalt
fruit *Frucht* f froucHt
fumer *rauchen* rao-cHénn

G

galerie d'art *Kunstgalerie* f *kounst*-ga-lé-rî
garçon de café *Kellner(in)* m/f *kél*-nér(rinn)
garde-robe • vestiaire *Garderobe* f gar-drô-be
gare *Bahnhof* m *bân*-hôf
gare routière *Busbahnhof* m *bouss*-bân-hôf
glace (à manger) *Eiscreme* f *ays*-krém
gorge (corps) *Hals* m hals
gramme *Gramm* n gram
grand *groß* grôss
grand lit *Doppelbett* n do-pél-bét
groupe *Gruppe* f grou-peu
guide (livre) *Reiseführer* m *ray*-ze-fu-rer
guide de conversation *Sprachführer* m
  chpraRch-fu-rér

H

habiter *wohnen* vô-nénn
hébergement *Unterkunft* f *oun*-ter-kounft
heure • montre *Uhr* f our
hier *gestern* gués-tern
histoire *Geschichte* f gué-*chicH*-te
hiver *Winter* m vin-ter
homme *Mann* m mann
hôpital *Krankenhaus* n krang-kénn-haos
horaires (train, bus) *Fahrplan* m *fâr*-plân

I

ici *hier* hîr
il *er* ér
île *Insel* f *in*-zel
important *wichtig* vicH-ticH
impossible *unmöglich* oun-*meuhk*-licH
inclus(e) *inbegriffen* in-bé-gri-fénn
infirmier/infirmière
  Krankenpfleger/Krankenschwester
  m/f *krang*-kénn-pflé-guér/
  krang-kénn-chves-ter

information *Auskunft* f *aos*-kounft
interprète *Dolmetscher(in)* m/f
  dol-mét-chér(rinn)
intoxication alimentaire
  Lebensmittelvergiftung f lé-*bénns*-mi-tel-f
  er-*gif*-toung
itinéraire *Reiseroute* f *ray*-ze-rou-te

J

jamais *nie* nî
jeu sur ordinateur *Computerspiel* m
  kom-*pyou*-tér-chpîl
jeudi *Donnerstag* m do-nérs-tâk
jour de Noël *Weihnachtsfeiertag (erster)* m
  (ers-ter) vay-naRchts-fay-er-tâk
jour·15 jours *Tag* m • *vierzehn Tage* pl/m tâk
  • *fîr*-tsén tâ-gue
journal *Zeitung* f *tsay*-toung
jeune *jung* young
jeune garçon *Junge* m young-euh
jus *Saft* m zaft

K

kiosque à journaux *Zeitungskiosk* m
  tsay-toungks-kî-osk

L

là-bas *dort* dort
lac *See* f zé
laine *Wolle* f vo-le
lait • Milch f milcH • **lait écrémé** *Milch fettarme*
  f fét-ar-me milcH
laver (se) *waschen (sich)* zicH va-chénn
lavomatique *Wäscherei* f vè-cheu-*ray*
lentille (photographique) *Objektiv* n
  op-*yék*-tîf
lentilles de contact *Kontaktlinsen* pl/f
  kon-*takt*-lin-ze

lesbienne *Lesbierin* f *les-bi-e-rin*
lever du soleil *Sonnenaufgang* m
  zo-nénn-aof-gang
liaison *Verbindung* f *fer-binn-doung*
librairie *Buchhandlung* f *bouRch-hannd-loung*
libre *frei* fray
lieu de naissance *Geburtsort* m *gué-bourts-ort*
lin *Leinen* n *lay-nénn*
liquide *Bargeld* n *bâr-guélt*
lire *lesen* lé-zénn*
livre (poids) *Pfund* n pfount
location de voiture *Autoverleih* m
  ao-to-fer-lay
loin *weit* vayt
long *lang* lang
lumière *Licht* n licHt
lundi *Montag* m *môn-tâk*
lunettes de soleil *Sonnenbrille* f *zo-nénn-bri-le*
luxueux *luxuriös* louk-sou-ri-euhs*

M

machine *Maschine* f *ma-chi-ne*
magasin *Geschäft* n *gué-cheft*
magazine *Zeitschrift* f *tsayt-chrift*
maillot de bain *Badeanzug* m
  bâ-dè-ann-tsouk
maintenant *jetzt* yétst
mal à la gorge *Halsschmerzen* pl/m
  hals-chmér-tsénn
malade *krank* krangk
manger *essen* è-sénn*
manteau *Mantel* m *mann-tél*
maquillage *Schminke* f *chming-keu*
marchand de journaux *Zeitungshändler* m
  tsay-toungks- hénn-dler
marché *Markt* m markt
marche (escalier) *Stufe* f *chtou-fe*
mardi *Dienstag* m *dinns-tâk*
mari *Ehemann* m *é-euh-mann*
mariage *Hochzeit* f *hoRch-tsayt*

matin *Morgen* m *mor-gouénn*
matinée *Vormittag* m *fôr-mi-tâk*
médecin *Arzt/Ärztin* m/f *artst/érts-tin*
meilleur(e) *bester/beste* m/f *bés-ter/teu*
mer *Meer* n mêr
mercredi *Mittwoch* m *mit-voRch*
mère *Mutter* f *mou-ter*
merveilleux *wunderbar* voun-der-bâ*
message *Mitteilung* f *mi-tay-loung*
métro *U-Bahn* f *ou-bân*
midi *Mittag* m *mi-tâk*
mince *dünn* dun
minuit *Mitternacht* f *mi-ter-naRcht*
moins *weniger* vé-ni-guér*
mois *Monat* m *mô-nat*
mon/ma micro-ondes *mein* m/n *meine* f
  Mikrowelle f mayn /*may-ne* mi-kro-vé-le*
monnaie *Wechselgeld* n *vék-sel-guélt*
montant • somme (argent) *Betrag* m bé-trâk*
monter à cheval *reiten* ray-ténn*
montrer *zeigen* tsay-guénn*
monument *Denkmal* n *dénngk-mâl*
mot *Wort* n vort
motocycle *Motorrad* n *mô-tor-rât*
musée *Museum* n mou-zé-oum*

N

nager *schwimmen* chvi-ménn*
ne ... pas *nicht* nicHt*
neige *Schnee* m chné*
Noël *Weihnachten* n *vay-naRch-ténn*
noix *Nuss* f nouss*
noix de cajou *Cashewnuss* f *kech-ou-nouss*
nom de famille *Familienname* m
  fa-mi-li-énn-nâ-me
nom de famille *Nachname* m *naRch-nâ-me*
non *nein* nayn*
non-fumeur *Nichtraucher* m *nicHt-rao-cHér*
nord *Norden* m *nor-dénn*
nourriture *Essen* n è-sénn*

EN DÉTAIL

nous *wir* vîr
nouveau *neu* noy
nouvelles (actualité) *Nachrichten* pl/f naRch-rîcH-ténn
nuage *Wolke* f vol-keu
nuit • toute la nuit *Nacht* f / *über Nacht* f naRcht • u-bér naRcht
numéro *Nummer* f nou-mer

O

œil *Auge* n ao-gué
œuf *Ei* n ay
office du tourisme *Fremdenverkehrsbüro* n frem-dénn-fer-kayrs-bu-rô
ordinaire *normal* nor-mâl
ordinateur *Computer* m kom-pyou-tér
oreille *Ohr* n ôr
oreiller *Kissen* n ki-sénn
orteil *Zehe* f tsé-e
os *Knochen* m kno-cHénn
ou *oder* ô-der
où *wo* vô
oublier *vergessen* fer-gué-sénn
ouest *Westen* m ves-ténn
oui *ja* yâ
outils *Werkzeug* n verk-tsoyk
ouvert/heures d'ouverture *offen/ Öffnungszeiten* pl/f ô-fénn / euhf-noungks-tsay-ténn
ouvre-boîte *Dosenöffner* m dó-zénn-euhf-nér

P

paiement *Zahlung* f tsâ-loung
pain *Brot* n brôt
papiers (voiture) *Fahrzeugpapiere* pl f fâr-tsoyk-pa-pî-re
Pâques *Ostern* n ôs-terne
par *pro* prô
parce que *weil* vayl

pare-brise *Windschutzscheibe* f vint-chouts-chay-be
parents *Eltern* pl él-térn
paresseux *faul* faol
parler *sprechen* chprè-cHénn
partir (en voiture, en train, etc.) *abfahren* ap-fâ-rénn
pas de *kein(e)* kay-ne
passager (bus, taxi) *Fahrgast* m fâr-gast
passer la nuit (hôtel) *übernachten* u-bér-naRch-ténn
passer une commande *bestellen* bé-chtè-lénn
pâtisserie *Konditorei* f konn-dî-to-ray
payer *bezahlen* be-tsâ-lénn
pays • campagne *Land* n lannt
paysage *Landschaft* f lant-chaft
permettre *erlauben* ér-lao-ben
permis de conduire *Führerschein* m fu-rer-chayn
permission *Erlaubnis* f ér-laop-nis
peser *wiegen* vî-guénn
petit *klein* klayn
petit-déjeuner *Frühstück* n fru-chtuk
petite monnaie *Kleingeld* n klayn-guélt
peu *wenig* vé-ni-gue
peu importe lequel/le *irgendein* ir-guénnt-ayn
peu importe quoi *irgendetwas* ir-guénnt-ét-vas
peur (avoir) *Angst (haben)* f anngkst (hâ-ben)
peut-être *vielleicht* fi-laycHt
pharmacie *Apotheke* f a-po-té-keu
pharmacien(enne) *Apotheker(in)* m/f a-po-té-kér(inn)
pièces de monnaie *Münzen* pl/f mun-tsén
piéton *Fußgänger(in)* m/f fous-guénng-er/ fouss-guénng-e-rin
pile *Batterie* f ba-té-rî
place de parking *Parkplatz* m park-plats
place du marché *Marktplatz* m markt-plats
plage *Strand* m chtrannt

plan *Karte* f carte
plateforme *Bahnsteig* m *bân-chtayk*
plein *voll* fol
plus (d'avantage) *mehr* mêr
plusieurs • quelques *einige* ay-ni-gue
poche • sac *Tasche* f ta-cheuh
poêle *Pfanne* f pfa-ne
poésie *Dichtung* f dicH-toung
poids *Gewicht* n gué-vicHt
point de vue *Aussichtspunkt* m aos-zicHts-poungkt
police *Polizei* f po-li-tsay
politique *Politik* f po-li-tîk
porte *Tür* f tur
possible *möglich* meuhk-licH
poste aérienne *Luftpost* f louft-poste
pourboire *Trinkgeld* n tringk-guélt
pourquoi *warum* va-roum
pousser *schieben* chî-bénn
poux *Läuse* pl/f loy-ze
premier/première *erster/erste* m/f érs-te
prendre *nehmen* né-ménn
prénom *Vorname* m fôr-nâ-meu
pressing *Reinigung (chemische)* f cHé-mi-che ray-ni-goung
prêt *fertig* fer-ticH
privé *privat* pri-vât
prix *Preis* m prays
prochain • le/la plus proche *nächste* nécHs-te
profession *Beruf* m bé-rouf
propre *sauber* zao-bér

Q

quand (à quel moment) *peu importe quand* wann • *wann* •vann-i-mer
quand • si *wenn* vénn
quelqu'un *jemand* yé-mannt
quelque chose *etwas* ét-vas
quelque part *irgendwo* ir-guénnt-vó
qui *wer* vêr
quittance *Quittung* f kvi-toung

quoi *was* vas
quotidien (tous les jours) *alltäglich* al-ték-licH

R

rabais *Rabatt* m ra-bat
raconter *erzählen* ér-tsé-lénn
raison *Grund* m grount
randonnée *Wandern* n van-dern
rapide *schnell* chnél
raser (se) *Rasieren (in)* ra-zî-rénn
recevoir *erhalten* ér-hal-ténn
réfrigérateur *Kühlschrank* m kul-chrangk
regarder *(an)sehen* (an) zé-énn
régional *örtlich* euhrt-licH
remercier *danken* dang-kénn
réservation *Reservierung* f ré-zer-vî-roung
réserver *buchen* bou-Rchénn
rester *bleiben* blay-bénn
retour *zurück* tsou-ruk
retourner *zurückkommen* tsou-ruk-ko-ménn
retraité(e) *pensioniert* pâng-zyo-nîrt
retraitée *Rentner(in)* m/f rénnt-ne(rinn)
réveil *Wecker* m vé-ker
réveillon (Nouvel An) *Silvester* zil-vés-ter
rien *nichts* nicHts
robinet *Wasserhahn* m va-ser-hân
rond *rund* rount
rue *Straße* f chtrâ-se
rythme *Rhythmus* m rut-mouss

S

s'il te plaît/s'il vous plaît/demander quelque chose *bitte • (um etwas) bitten* bi-te/(oum et-vas) bi-ténn
s'occuper de *(sich) kümmern um* zicH ku-mern oum
sac à main *Handtasche* f hant-ta-cheu
sac de couchage *Schlafsack* m chlâf-zak
salle de bains *Badezimmer* n bâ-deu-tsi-mer

79

salle de concert *Konzerthalle* f kon-*tsért*-ha-le
samedi *Samstag* m *zams*-tâk
sanglier *Wildschwein* n *vilt*-chvayn
sans *ohne* ô-ne
savoir *wissen* vi-sénn
savon *Seife* f *zay*-fe
science *Wissenschaft* f *vi*-sénn-chaft
sec (vin) *trocken* trok-*nénn*
second *zweite* tsvay-te
sécurité *Sicherheit* f *zi*-cHér-hayt
self-service *Selbstbedienung* f *zelpst*-be-dî-noung
sérieux *ernst* érnst
seul (e) *allein* a-*layn*
• *einsam* ayn-zâm
seulement *nur* nour
signature *Unterschrift* f *oun*-ter-chrift
simple *einfach* ayn-faRch
ski (sport) *Skifahren* n *chî*-fâ-rénn
soie *Seide* f *zay*-de
soir *Abend* m *â*-bénnt
sorti de (notion d'espace) (lieu) *aus* aos
sortie *Ausgang* m *aos*-gang
souhaiter *wünschen* vun-chénn
souhaiter • vouloir *wollen* vo-lénn
sous-titres *Untertitel* pl/m *oun*-ter-tî-tél
souvent *oft* oft
station de métro *U-Bahnhof* m *ou*-bân-hôf
station de taxi *Taxistand* m *tak*-si-chtant
stop *Halt* m halt
stupide *dumm* doum
sud *Süden* m *zu*-dénn
Suisse *Schweiz* f chvayts
supérieur *Chef(in)* m/f chéf(inn)

téléphoner *telefonieren* té-le-fo-*nî*-rénn
télévision *Fernseher* m *fern*-zé-er
temps *Zeit* f tsayt
temps (météo) *Wetter* n *ve*-ter
tente *Zelt* n tselt
terminus *Endstation* f *énnt*-chta-tsyôn
tête *Kopf* m kopf
thé *Tee* m té
ticket (bus, métro, train) *Fahrkarte* f *fâr*-kar-te
timbre *Briefmarke* f *brif*-mar-keu
tirer *ziehen* *tsî*-énn
toilettes *Toilette* f to-a-*le*-te
ton/ta *dein/deine/deines* m/f/n dayn
tôt *früh* fru
toucher *berühren* bé-*ru*-rénn
tour *Turm* m tourm
tous *alle* a-le
tous les jours *täglich* *ték*-licH
tout *alles* a-lés
traduire *übersetzen* u-bér-ze-tsénn
train *Zug* m tsouk
tram *Straßenbahn* f *chtrâ*-sénn-bân
très *sehr* zayr
trop (de) *zu (viele)* tsou *(fî*-le)
trottoir *Gehweg* m *gué*-vék
tu *du* dou
tuer *töten* teuh-ténn
type *Typ* m tup

U

un/une (article défini) *ein(e)* ayn(ne)
une fois *einmal* ayn-mâl
urgence *Notfall* m *nôt*-fal

V

vacances *Ferien* pl fér-ri-énn
vaccination *Schutzimpfung* f *chouts*-im-pfoung

T

taille *Größe* f greuh-sse
taux de change *Wechselkurs* m *vek*-sel-kours
teinturerie *Reinigung* f re-gui-roung
téléphone portable *Handy* n *hénn*-di

vache *Kuh* f kou
vagin *Vagina* f va-*gui*-na
valeur (prix) *Wert* m vert
valider (billet) *entwerten* énnt-*ver*-ténn
valise *Koffer* m *ko*-fer
vélo (faire du) *radfahren* rât-fâ-rer/ rât-fâ-re-rinn
vendredi *Freitag* m *fray*-tâk
venir *kommen* ko-ménn
vente de billets *Fahrkartenverkauf* m fâr-kar-ténn-fer-kaof
venteux *windig* vin-dicH
verre *Glas* n glâs
vers *hinüber* hi-*nu*-bér
  • *zu* tsou
  • ... *auf* ... *zu auf* ... tsou
vert *grün* grun
vêtement *Kleidung* f *klay*-doung
viande *Fleisch* n flaych
vide *leer* lér
vieux *alt* alt
village *Dorf* n dorf
ville *Stadt* f chtat
vin *Wein* m vayn
vinaigre *Essig* m èt-vas
visa *Visum* *ví*-zoum
visiter *besuchen* bé-*zou*-cHénn
vodka *Wodka* m *vot*-ka

voir *sehen* zé-énn
voiture *Wagen* m vâ-*guén*
vol (dans les airs) *Flug* m flouk
volume (bruit) *Lautstärke* f laot-chter-ke
  • (livre) *Band* f bant
  • (masse) *Volumen* n vo-*lou*-ménn
vous (forme de politesse) *Sie* zî
voyage *Reise* f ray-ze
voyager *reisen* ray-zénn
vue *Aussicht* f aos-zicHt

W

wagon-restaurant *Speisewagen* m chpay-ze-vâ-guénn
week-end *Wochenende* n vo-cHénn-énn-de
whisky *Whisky* m vis-ki

Y

yeux *Augen* ao-guèn
yoga *yoga* yo-geu

Z

zéro *null* noul
zoo *Zoo* m tsô

EN DÉTAIL

A

abbiegen *ap*-bi-guénn *tourner*
Abend m *â*-bénnt *soir*
Abendessen n *â*-bénnt-e-sénn *dîner*
aber *â*-bér *mais*
abfahren ap-fâ-rénn *partir (en voiture, en train, etc.)*
Abfahrt f *ap*-fârt *départ*
abgeschlossen *ap*-gué-chlo-sénn *fermé*
Abkürzung f *ap*-kur-tsoung *raccourci*
ablehnen *ap*-lé-nénn *refuser*
Abtreibung f *ap*-tray-boung *avortement*
Adapter m a-*dap*-ter *adaptateur*
Adresse f a-*dré*-seu *adresse*
Alkohol m al-ko-hôl *alcool*
alle *a*-le *tous*
Allee f a-*lé* *avenue*
allein a-*layn* *seul*
alles *a*-lés *tout*
allgemein al-gué-*mayn* *général*
alltäglich al-*ték*-licH *quotidien (tous les jours)*
alt alt *vieux*
Alter n *al*-ter *âge*
an ann *sur (vertical)*
anbaggern ann-ba-guérn *draguer*
andere an-*dé*-re *autre*
Angst (haben) f anngkst (*hâ*-ben) *(avoir) peur*
anhalten an-hal-ténn *s'arrêter*
ankommen ann-ko-ménn *arriver*
Ankunft f ann-kounft *arrivée*
Antwort f annt-vort *réponse*
antworten annt-vor-ténn *répondre*
Anzahlung f an-tsâ-loung *acompte*
Apotheke f a-po-té-keu *pharmacie*
Apotheker(in) m/f a-po-té-kér(inn) *pharmacien/pharmacienne*
arbeitslos ar-bayts-lôs *au chômage*
Arzt/Ärztin m/f artst/érts-tin *médecin*
auch aoRch *aussi • également*

auf ... zu aof ... tsou *vers...*
Auge n *ao*-gué *œil*
aus aos *sorti de (notion d'espace)*
aus (Baumwolle) aos en *(coton)*
aus • von aos • fon *de (lieu)*
Ausbeutung f aos-boy-toung *exploitation*
Ausgang m aos-gang *sortie*
ausgebucht aos-gué-bouRcht *complet*
Auskunft f aos-kounft *information*
Ausland (im) n aos-lannt (im) *à l'étranger*
Aussicht f aos-zicHt *vue*
Aussichtspunkt m aos-zicHts-poungkt *point de vue*
Ausstellung f aos-chtè-loung *exposition*
Autobahn f *ao*-to-bân *autoroute*
automatisch ao-to-*mâ*-tich *automatique*
Autor(in) m/f ao-tor(inn) *auteur*
Autoverleih m *ao*-to-fer-lay *location de voiture*

B

Bäckerei f bé-ké-*ray* *boulangerie*
Bad n bât *bain*
Badeanzug m *bâ*-dè-ann-tsouk *maillot de bain*
Badezimmer n *bâ*-deu-tsi-mer *salle de bains*
Bahnhof m *bân*-hôf *gare*
Bahnsteig m *bân*-chtayk *plateforme*
Bankkonto n *banngk*-kon-to *compte bancaire*
Bargeld n *bâr*-guélt *liquide*
Batterie f ba-té-*rî* *pile*
Baumwolle f *baom*-vo-le *coton*
Bekleidungsgeschäft n bé-*klay*-doungk-g ué-chéft *boutique de vêtements*
Benzin n bénn-*tsínn* *essence*

Beruf m *bé-rouf profession*
berühren *bé-ru-rénn toucher*
bester/beste m/f *bés-ter/teu meilleur(e)*
besteigen *bé-chtay-guénn embarquer*
bestellen *bé-chtè-lénn passer une commande*
Bestellung f *bé-chtè-loung commande (restaurant)*
besuchen *bé-zou-cHénn visiter*
beteiligen (sich) zicH *be-tay-li-guénn participer*
Betrag m *bé-trâk montant • somme (argent)*
Bettlaken n *bèt-lâ-kénn drap*
Bettzeug n *bèt-tsoyk draps*
bezahlen *be-tsâ-lénn payer*
Bibliothek f *bi-bli-o-ték librairie*
Bier n *bîr bière*
billig *bi-licH bon marché*
bis (Juni) *bis (you-ni) jusqu'à (juin)*
bitte *bi-te s'il te plaît/s'il vous plaît*
  • (um etwas) bitten *oum et-vas bi-ténn demander quelque chose*
bleiben *blay-bénn rester*
Boot n *bôt bateau*
(an) Bord m *ann bort à bord*
Botschaft f *bôt-chaft ambassade*
Briefmarke f *brîf-mar-keu timbre*
Brot n *brôt pain*
Bruder m *brou-dér frère*
buchen *bou-Rchénn réserver*
Buchhandlung f *bouRch-hannd-loung librairie*
Burg f *bourk château fort*
Bus m *bouss bus*
Busbahnhof m *bouss-bân-hôf gare routière*
Bushaltestelle f *bouss-hal-te-chté-le arrêt de bus*

C

Café n *ka-fé café (lieu)*
Campingplatz m *kém-pinng-plats camping*
Cashewnuss f *kech-ou-nouss noix de cajou*
CD f *tsé-dé CD*

Chancengleichheit f *châng-sénn-glaycH-hayt égalité des chances*
charmant *char-mannt charmant*
Chef(in) m/f *chéf(inn) supérieur*
Chili n *chi-li chili*
Christ(in) m/f *krist(inn) chrétien*
College n *ko-lèdj collège*
Computer m *kom-pyou-tér ordinateur*
Computerspiel n *kom-pyou-tér-chpîl jeu sur ordinateur*
Cornflakes pl/m *korn-fléks cornflakes*
Coupon m *kou-pong coupon (billet, tissu, etc.)*
Couscous m *kous-kous couscous*
Cousin(e) m/f *kou-zeng/kou-zî-neu cousin(e)*
Curry(pulver) n *keuh-ri(-poul-ver) curry (poudre de)*

D

Dachboden m *daRch-bô-dénn combles*
Dämmerung f *dé-me-roung crépuscule*
danken *dang-kénn remercier*
Datum n *dâ-toum date*
Decke f *dé-keu couverture*
dein/deine/deines m/f/n *dayn ton/ta*
Demokratie f *dé-mo-kra-tî démocratie*
Demonstration f *dé-mons-tra-tsyón manifestation*
denken *dénng-kénn penser*
Denkmal n *dénngk-mâl monument*
deutsch *doytch allemand*
Deutschland n *doytch-lant Allemagne*
Dichtung f *dicH-toung poésie*
dick *dik épais • gras*
Dieb m *dîp voleur*
Dienstag m *dînns-tâk mardi*
diese (Woche) *di-ze (vo-cHeuch) cette (semaine)*
diesen (Monat) *dî-zénn (mô-nat) ce mois-ci*
dieser/diese/dieses m/f/n *dî-zer/dî-ze/dî-ze celui-là/celle-là*

direkt di-*rekt* direct
Disko(thek) f *dis*-ko(-*ték*) boîte • discothèque
Dolmetscher(in) m/f *dol*-mét-chér(rinn) interprète
Dom m dôm cathédrale
Donnerstag m do-nèrs-tåk jeudi
Doppelbett n do-pél-bét grand lit
Dorf n dorf village
dort dort là-bas
Dosenöffner m dô-zénn-euhf-nér ouvre-boîte
draußen drao-sénn dehors
dringend dring-énnt urgent
dritter dri-te troisième
du dou tu
dumm doum stupide
dunkel doung-kél foncé
dünn dun mince
durch dourcH à travers
Durchwahl f dourcH-vål numéro direct (téléphone)
Dusche f dou-cheu douche
Dutzend n dou-tsénnt douzaine

E

Ebene f é-be-ne plaine
Ecke f e-keu coin • angle
egoistisch é-go-*is*-tich égoïste
Ehefrau f é-euh-frao épouse
Ehemann m é-euh-mann mari
ehrlich ér-licH honnête
Ei n ay œuf
ein(e) ayn(ne) un/une (article défini)
einfach ayn-faRch simple
einige ay-ni-gue plusieurs • quelques
einmal ayn-mål une fois
einsam ayn-zåm seul(e)
eintreten ayn-tré-ténn entrer
Eintrittsgeld n ayn-trits-guélt droit d'entrée
Eintrittskarte f ayn-trits-kar-te billet (cinéma, musée, etc.)

Eintrittspreis m ayn-trits-prays prix d'entrée
Einzelzimmer n ayn-tsél-tsi-mer chambre simple
Eiscreme f ays-krém glace (à manger)
Endstation f énnt-chta-tsyön terminus
entwerten énnt-ver-ténn valider (billet)
er ér il
Erdnüsse pl f ért-nu-se arachide
Erfahrung f ér-fâ-roung expérience
erhalten ér-hal-ténn recevoir
erkältet (sein) ér-kél-tét (zayn) (être) enrhumé
erlauben ér-lao-ben permettre
Erlaubnis f ér-laop-nis permission
ermüden ér-mu-dénn fatiguer
ernst érnst sérieux
erstaunlich ér-chtaon-licH étonnant
erster/erste m/f érs-te premier/première
Erwachsene n ér-vak-sé-ne adulte
erzählen ér-tsé-lénn raconter
Erziehung f er-tsî-oung éducation
essen è-sénn manger
Essen n è-sénn nourriture
Essig m è-sicH vinaigre
etwas ét-vas quelque chose

F

fahren fâ-rénn aller (en voiture, en train, etc.) • conduire
Fahrgast m fâr-gast passager (bus, taxi)
Fahrkarte f fâr-kar-te ticket (bus, métro, train)
Fahrkartenverkauf m fâr-kar-ténn-fer-kaof vente de billets
Fahrplan m fâr-plân horaires (train, bus)
Fahrrad n fâr-råt cycle • vélo
Fahrzeugpapiere pl/f fâr-tsoyk-pa-pi-re papiers (voiture)
falsch falch faux
Familienname m fa-*mî*-li-énn-nâ-me nom de famille

Familienstand m fa-*mi*-li-énn-chtant *état civil*

Fenster n *fénns*-ter *fenêtre*

Ferien pl *fér*-ri-énn *vacances*

Fernbus m *férn*-bouss *car*

Fernseher m *fern*-zé-er *télévision*

fertig *fer*-ticH *prêt*

Fest n fest *fête*

Flasche f *flé*-cheu *bouteille*

Flaschenöffner m fla-chénn-euhf-ner *décapsuleur*

Fleisch n flaych *viande*

fliegen *fli*-gouénn *aller (en avion)* • *voler (dans les airs)*

Flug m flouk *vol (dans les airs)*

Flughafen m flouk-hâ-fénn *aéroport*

Flugticket n flouk-ti-kèt *billet d'avion*

Flugzeug n flouk-tsoyk *avion*

Frankreich n frangk-raycH *France*

Frau f frao *femme*

frei fray *libre*

Freitag m fray-tâk *vendredi*

Fremdenverkehrsbüro n frem-dénn-fer-kayrs-bu-rô *office du tourisme*

frisch frich *frais*

Friseur(in) m fri-*zeuhr*(rinn) *coiffeur*

Frucht f froucHt *fruit*

früh fru *tôt*

Führerschein m fu-rer-chayn *permis de conduire*

Führung f fu-roung *circuit organisé*

Fußball m fouss-bal *football*

Fußgänger(in) m/f fous-*guénng*-er/fous-*guénng*-e-rin *piéton*

G

Garderobe f gar-*drô*-be *garde-robe* • *vestiaire*

Gebäude n gué-*boy*-de *bâtiment*

Geburtsdatum n gué-*bourts*-dâ-toum *date de naissance*

Geburtsort m gué-*bourts*-ort *lieu de naissance*

Geburtstag m gué-*bourts*-tâk *anniversaire*

gefährlich gué-*fér*-licH *dangereux*

Gefühle pl/n gué-*fu*-le *sentiments*

gegenüber gué-*guénn*-u-bér *en face*

Gegenwart f gué-*guénn*-vart *présent*

Gehacktes n gué-*hak*-tes *viande hachée*

Gehalt n gué-*halt* *salaire*

Geheimnis n gué-*haym*-nis *secret*

gehen gué-*génn* *aller (à pied)* • *marcher*

Gehweg m gué-*vék* *trottoir*

gelangweilt gué-*lanng*-vaylt *ennuyé*

Geld n guélt *argent*

Geldautomat m guélt-ao-to-mât *distributeur de billets (argent)*

Geldwechsel m guélt-vék-sel *bureau de change*

genug gué-*nouk* *assez*

Gepäck n gué-*pek* *bagage*

Gepäckaufbewahrung f gué-pek-aof-be-vâ-roung *consigne à bagages*

gerade gué-*râ*-de *droit (ligne)*

Geschäft n gué-*chéft* *affaires* • *magasin*

Geschenk n gué-*chénngk* *cadeau*

Geschichte f gué-*chicH*-te *histoire*

geschlossen gué-*chlo*-sénn *fermé*

gestern *gués*-tern *hier*

Getränk n gué-*trénngk* *boisson*

Gewicht n gué-*vicHt* *poids*

Glas n glâs *verre*

Gramm n gram *gramme*

groß grôss *grand*

Größe f *greuh*-sse *taille*

grün grun *vert*

Grund m grount *raison*

Gruppe f grou-peu *groupe*

Gurke f *gour*-keu *concombre*

Gürtel m *gur*-tél *ceinture*

gut gout *bien*

H

Haar n hâr *cheveu* • **Haare** n/pl hâr-euh *cheveux*

haben *hâ*-bénn *avoir*

Halal- ha-*lal* halal

(ein) halber Liter ayn *hal*-ber *li*-ter *demi-litre*

Hälfte f *helf*-te *moitié*

Hallenbad n ha-*lénn*-bât *piscine publique couverte*

Hals m hals *gorge, cou*

Halskette f *hals*-ke-te *collier*

Halsschmerzen pl/m *hals*-chmér-tsénn *mal à la gorge*

Halt m halt *stop*

handgemacht hant-gué-maRcht *fait main*

Handtasche f *hant*-ta-cheu *sac à main*

Handwerk n *hannt*-vérk *artisanat*

Handy n *hénn*-di *téléphone portable*

heiß hays *chaud • brûlant*

Heizgerät n *hayts*-gué-rét *chauffage*

helfen *hel*-fénn *aider*

hell hél *clair*

Herz n herts *cœur*

heute Abend *hoy*-te â-bénnt *ce soir*

heute *hoy*-te *aujourd'hui*

hier hîr *ici*

hinter *hinn*-ter *derrière*

hinüber hi-*nu*-bér *vers*

Hochzeit f *hoRch*-tsayt *mariage*

Höhle f *heuh*-le *caverne*

Holz n holts *bois*

hören *heuhr*-rénn *entendre*

I

Idee f i-*dé* *idée*

immer *i*-mer *toujours*

inbegriffen *in*-bé-gri-fénn *inclus(e)*

Industrie f in-dous-*tri* *industrie*

Ingenieuer(in) m/f in-djé-*nyeuhr*/ in-djé-*nyeuhr*-rinn *ingénieur*

interessant in-tré-*sannt* *intéressant*

international in-ter-na-tsyo-*nâl* *international*

innen *i*-nénn *dedans*

Innenstadt f *i*-nénn-chtat *centre-ville*

Insel f *in*-zel *île*

irgendein ir-*guénnt*-ayn *peu importe lequel/le*

irgendetwas ir-*guénnt*-et-vas *peu importe quoi*

irgendwo ir-*guénnt*-vô *quelque part*

J

ja yâ *oui*

Jacke f *ya*-keu *veste*

Jagd f yâkt *chasse*

Jahr (dieses) n yâr (*di*-zes) *année (cette)*

Jahreszeit f *yâ*-rés-tsayt *saison*

Jeans pl djînns *jeans*

jeder/jede/jedes m/f/n yé-der/yé-de/yé-des *chacun/chacune/chaque*

jemand yé-*mannt* *quelqu'un*

jetzt yétst *maintenant*

Joggen n djo-*guénn* *jogging*

Joghurt n yô-*gourt* *yaourt*

jüdisch yu-*dich* *juif/juive*

Jugendherberge f you-*guénnt*-her-ber-gué *auberge de jeunesse*

jung young *jeune*

Junge m young-euh *garçon*

Jura n *you*-ra *droit (études)*

K

Kaffee m ka-*fé* *café (boisson)*

kalt kalt *froid*

Kamera f *ka*-mé-ra *appareil photo*

kaputt ka-*pout* *cassé*

Karte f *kar*-te *carte (plan)*

Kasse f *ka*-sseu *caisse*

kaufen *kao*-fénn *acheter*
kein(e) *kay*-ne *pas de*
Kellner(in) m/f *kél*-nér(rinn) *garçon de café*
kennen *ke*-nénn *connaître*
Keramik f *ké*-râ-mik *céramique*
Kinder pl/n *kinn*-dér *enfants*
Kino n *ki*-no *cinéma*
Kiosk m *ki*-osk *épicerie*
Kirche f *kir*-cHeu *église • temple*
Kissen n *ki*-sénn *oreiller*
Kleidung f *klay*-doung *vêtement*
klein *klayn* *petit*
Kleingeld n *klayn*-guélt *petite monnaie*
Klimaanlage f *kli*-ma-ann-lâ-gué *air conditionné*
Kloster n *klôs*-ter *couvent • monastère*
Knopf m *knopf* *bouton*
Koch/Köchin m/f *koRch*/*keuh*-cHinn *cuisinier/cuisinière*
kochen *ko*-Rch.énn *cuisiner*
Koffer m *ko*-fer *valise*
Kofferraum m *ko*-fer-raom *coffre (voiture)*
kommen *ko*-ménn *venir*
Konditorei f *konn*-dî-to-ray *pâtisserie*
können *keuh*-nénn *(être) capable • avoir la permission • pouvoir*
Kontaktlinsen pl/f *kon*-takt-lin-ze *lentilles de contact*
Konzert n *kon*-*tsért* *concert*
Konzerthalle f *kon*-*tsért*-ha-le *salle de concert*
Kopf m *kopf* *tête*
kosten *kos*-ténn *coûter*
krank *krangk* *malade*
Krankenhaus n *krang*-kénn-haos *hôpital*
Krankenpfleger/Krankenschwester m/f *krang*-kénn-pflé-guér/*krang*-kénn-chves-ter *infirmier/infirmière*
Kreditkarte f *kre*-dît-kar-teu *carte de crédit*
Küche f *ku*-cHe *cuisine*
Kühlschrank m *kul*-chrangk *réfrigérateur*
(sich) kümmern um zicH *ku*-mern oum *s'occuper de*

Kunst f *kounst* *art*
Kunstgalerie f *kounst*-ga-lé-rî *galerie d'art*
Kunstgewerbe n *kounst*-gué-ver-beu *artisanat*
Künstler(in) m/f *kounst*-lèr/*kounst*-lè-rinn *artiste*
kurz *kourts* *court*
Küste f *kus*-teu *côte*

L

Land n *lannt* *pays • campagne*
Landschaft f *lant*-chaft *paysage*
lang !ang *long*
laufen *lao*-fénn *courir*
Läuse pl/f *loy*-ze *poux*
laut *laot* *bruyant*
Lebensmittelladen m *lé*-bénns-mi-tel-lâ-dénn *épicerie*
Lebensmittelvergiftung f *lé*-bénns-mi-tel-fer-gif-toung *intoxication alimentaire*
Leder n *lé*-der *cuir*
ledig é-dicH *célibataire*
leer *lér* *vide*
Leinen n *lay*-nénn *lin*
Lesbierin f *les*-bi-e-rin *lesbienne*
lesen *lé*-zénn *lire*
Licht n *licHt* *lumière*
Lift m *lift* *ascenseur*
Lokal n *lo*-*kál* *bar*
Luftpost f *louft*-poste *poste aérienne*
luxuriös *louk*-sou-ri-euhs *luxueux*

M

Mädchen n *mét*-cHénn *fille*
Mann m *mann* *homme*
Mantel m *mann*-tél *manteau*
Markt m *markt* *marché*
Marktplatz m *markt*-plats *place du marché*
Maschine f *ma*-*chí*-ne *machine*

Meer n *mêr mer*
mehr *mêr plus (d'avantage)*
mein m/n *mayn mon*
meine f *may·ne ma*
Mikrowelle f *mi·kro·vé·le micro-ondes*
Milch f *milcH lait* • **(fettarme) Milch** f *fét·ar·me milcH lait (écrémé)*
Mineralwasser n *mi·né·râl·va·ser eau gazeuse*
mit *mit avec*
Mittag m *mi·tâk midi*
Mittagessen n *mi·tâk·è·sénn déjeuner*
Mitteilung f *mi·tay·loung message*
Mitternacht f *mi·ter·naRcht minuit*
Mittwoch m *mit·voRch mercredi*
mögen *meuh·guénn aimer • apprécier*
möglich *meuhk·licH possible*
Monat m *mô·nat mois*
Montag m *môn·tâk lundi*
morgen *mor·guénn demain*
Morgen m *mor·gouénn matin*
morgen früh *mor·guénn fru demain matin*
Motorrad n *mô·tor·rât motocycle*
Münzen pl/f *mun·tsén pièces de monnaie*
Museum n *mou·zé·oum musée*
Mutter f *mou·ter mère*

N

nach *nâRch après*
Nachmittag m *(hoy·te) naRch·mi·tâk (cet) après-midi*
Nachname m *naRch·nâ·me nom de famille*
Nachrichten pl/f *naRch·ricH·ténn nouvelles (actualité)*
nächste *néchs·te prochain • le/la plus proche*
Nacht f *naRcht nuit* • **über Nacht** f *u·bér naRcht toute la nuit*
nahe *nâ·euh proche* • **in der Nähe** *in dér né·euh dans les environs*
Nase f *nâ·ze nez*
nehmen *né·ménn prendre*
nein *nayn non*

neu *noy nouveau*
nicht *nicHt ne . . . pas*
Nichtraucher m *nicHt·rao·cHér non-fumeur*
nichts *nicHts rien*
nie *ni jamais*
Norden m *nor·dénn nord*
normal *nor·mâl ordinaire*
Notfall m *nôt·fal urgence*
Notizbuch n *no·tits·bouRch carnet de notes*
Nummer f *nou·mer numéro*
nur *nour seulement*
Nuss f *nouss noix*

O

Objektiv n *op·yék·tif lentille (photographique)*
oder *ô·der ou*
Ofen m *ô·fénn four*
offen *ô·fénn ouvert*
Öffnungszeiten pl/f *euhf·noungks·tsay·ténn heures d'ouverture*
oft *oft souvent*
ohne *ô·ne sans*
Ohr n *ôr oreille*
örtlich *euhrt·licH régional*
Osten m *os·ténn est*
Ostern n *ôs·terne Pâques*
Österreich n *euhs·ter·raycH Autriche*

P

Parkplatz m *park·plats place de parking*
Pension f *pâng·zyôn chambre d'hôte • pension*
pensioniert *pâng·zyo·nírt retraité(e)*
Personalausweis m *per·zo·nâl·aos·vays carte d'identité*
Pfanne f *pfa·ne poêle*
Pfund n *pfount livre (poids)*
Polizei f *po·li·tsay police*
Polizeirevier n *po·li·tsay·re·vir commissariat*

Postamt n *post*-amt *bureau de poste*
Postleitzahl f *post*-lay-tsâl *code postal*
Preis m *prays* *prix*
privat pri-*vât* *privé*
pro prô *par*

Q

Qualifikationen pl/f kva-li-fi-ka-*tsyó*-nénn *qualifications*
Qualität f kva-li-*tét* *qualité*
Quittung f *kvi*-toung *quittance*

R

Rabatt m ra-*bat* *rabais*
radfahren *rât*-fâ-rer/*rât*-fâ-re-rinn *vélo (faire du)*
Radweg m *rât*-vék *piste cyclable (ville)*
Rasieren (in) ra-*zî*-rénn *raser (se)*
rauchen rao-cHénn *fumer*
Rechnung f recH-noung *addition*
rechts rècHts *droite (direction)*
Rechtsanwalt/Rechtsanwältin m/f rècHts-an-valt/rècHts-an-vél-tinn *avocat/avocate (loi)*
Reinigung (chemische) f cHé-mi-che ray-ni-goung *pressing*
Reise f *ray*-ze *voyage*
Reisebüro n *ray*-ze-bu-rô *agence de voyages*
Reiseführer m *ray*-ze-fu-rer *guide (livre)*
reisen *ay*-zénn *voyager*
Reiseroute f *ray*-ze-rou-te *itinéraire*
Reisescheck m *ray*-ze-chèk *chèque de voyage*
Reiseziel n (*ray*-ze) tsîl *destination*
Reiten n *ray*-ténn *balade à cheval*
Rentner(in) m/f *rénnt*-ne(rinn) *retraité(e)*
Reservierung f ré-zer-*ví*-roung *réservation*
R-Gespräch n *ér*-gué-chprècH *en PCV (appel)*
richtig ricH-ticH *correct*
rund *round* *rond*

S

Saft m *zaft* *jus*
sagen *zâ*-guénn *dire*
Salz n *zalts* *sel*
Samstag m *zams*-tâk *samedi*
Sand m *zant* *sable*
sauber *zao*-bér *propre*
Scheck m chèk *chèque*
schieben *chî*-bénn *pousser*
schlafen *chlâ*-fénn *dormir*
Schlafsack m *chlâf*-zak *sac de couchage*
Schlafzimmer n *chlâf*-tsi-mer *chambre à coucher*
schließen *chlî*-sénn *fermer*
Schloss n chloss *château • serrure*
Schlüssel m *chlu*-sel *clé*
Schminke f *chming*-keu *maquillage*
Schmuck m *chmouk* *bijoux*
Schnee m *chné* *neige*
schnell *chnél* *rapide*
schon *chôn* *déjà*
schön *cheuhn* *beau/belle*
schreiben *chray*-bénn *écrire*
Schweiz f *chvayts* *Suisse*
schwer *chvér* *dur (difficile) • lourd*
schwimmen *chvi*-ménn *nager*
See f *zé* *lac*
sehen *zé*-énn *voir*
(an)sehen (an) *zé*-énn *regarder*
sehr *zayr* *très*
Seide f *zay*-de *soie*
Seife f *zay*-fe *savon*
Selbstbedienung f *zelpst*-be-di-noung *self-service*
sicher *zi*-cHér *en sécurité*
Sicherheit f *zi*-cHér-hayt *sécurité*
sie *zî* *elle • elles • ils*
Sie *zî* *vous (forme de politesse)*
Silvester *zil*-vés-ter *réveillon (Nouvel An)*
singen *zing*-énn *chanter*

Dictionnaire allemand/français

sitzen *zi-*tsénn *être assis*
Skifahren n *chi-fâ-rénn ski (sport)*
skifahren *chi-fâ-rénn faire du ski*
Sonnenaufgang m *zo-nénn-aof-gang lever du soleil*
Sonnenbrille f *zo-nénn-bri-le lunettes de soleil*
Sonnencreme f *zo-nénn-krém crème solaire*
Sonnenuntergang m *zo-nénn-oun-ter-gang coucher du soleil*
Sonntag m *zon-tâk dimanche*
Speisekarte f *chpay-ze-kar-te carte (menu)*
Sprachführer m *chpraRch-fu-rér guide de conversation*
sprechen *chprè-*cHénn *parler*
Stadt f *chtat ville*
Stiefel m *chtî-fél botte*
Stock m *chtok étage*
stornieren *chtor-ni-ren annuler*
Strand m *chtrannt plage*
Straße f *chtrâ-se rue*
Straßenbahn f *chtrâ-sénn-bân tram*
Straßenkarte f *chtrâ-sénn-kar-te carte routière*
Studentenausweis m *chtou-dénn--ténn-aos-vays carte d'étudiant*
Stufe f *chtou-fe marche (escalier)*
Süden m *zu-dénn sud*

T

Tag m *tâk jour • vierzehn Tage pl/m fir-tsén tâ-gue 15 jours*
täglich *ték-licH tous les jours*
Tal n *tâl vallée*
Tankstelle f *tangk-chté-le pompe à essence*
tanzen *tan-tsénn danser*
Tasche f *ta-cheuh poche • sac*
Taschenbuch n *ta-chénn-bouRch livre de poche*
Taschenrechner m *ta-chénn-réch-nér calculatrice*

Tastatur f *tas-ta-tour clavier (ordinateur)*
taub *taop sourd*
tauchen *tao-*cHénn *plonger*
Taxistand m *tak-si-chtant station de taxi*
Tee m *té thé*
telefonieren *té-le-fo-ni-rénn téléphoner*
Telefonkarte f *té-le-fôn-kar-te carte téléphonique*
Telefonzelle f *té-le-fôn-tse-le cabine téléphonique*
teuer *toy-ér cher*
Theaterkasse f *té-â-ter-ka-se billetterie d'un théâtre*
Toilette f *to-a-ie-te toilettes*
Touristenklasse f *tou-ris-ténn-kla-se classe économique*
trinken *tring-kénn boire*
Trinkgeld n *tringk-guélt pourboire*
trocken *trok-nénn sec (vin)*
tun *toun faire*
Tür f *tur porte*
Turm m *tourm tour*

U

U-Bahn f *ou-bân métro*
U-Bahnhof m *ou-bân-hôf station de métro*
über *u-bér au-dessus*
überbrückungskabel n *u-bér-bru-koungks-kâ-bel câble de démarrage*
Übergepäck n *u-bér-gué-pek excédent de bagage*
übermorgen *u-bér-mor-guénn après-demain*
Übernachten *u-bér-naRch-ténn passer la nuit (hôtel)*
übersetzen *u-bér-ze-tsénn traduire*
Uhr f *our heure • montre*
Ultraschall m *oul-tra-chal ultrason*
umarmen *oum-ar-ménn s'embrasser*
Umfrage f *oum-frâ-gue sondage d'opinion*

Umkleideraum m *vè-klay-de-raom* vestiaire
Umsatzsteuer f *oum-zats-chtoy-er* TVA
umsteigen *oum-chtay-guén* changer (train)
unmöglich *oun-meuhk-lich* impossible
unter *oun-ter* en-dessous • parmi
Unterkunft f *oun-ter-kounft* hébergement
Unterschrift f *oun-ter-chrift* signature
Untertitel pl/m *oun-ter-ti-tél* sous-titres
Unterwäsche f *oun-ter-vè-cheu* tous les vêtements qui se portent à même le corps (sous-vêtements et maillots de corps)
Urlaub m *our-laop* congés payés

V

Verbindung f *fer-binn-doung* liaison
Versicherung f *fer-zi-cHe-roung* assurance
viel fîl beaucoup
vielleicht *fi-laycHt* peut-être
Visum m *vî-zoum* visa
voll fol plein
vor fôr avant • devant • **vor (drei Tagen)** fôr (dray tâ-guénn) il y a (3) jours
• **vor kurzem** fôr *kour-tsèm* il y a peu de temps • **vor uns** fôr ouns devant nous
Vormittag m *fôr-mi-tâk* matinée
Vorname m *fôr-nâ-meu* prénom

W

Wagen m *vâ-guén* voiture
Wald m valt forêt
Wandern n *van-dern* randonnée
wann vann quand (à quel moment) • **wann immer** vann-*i-mer* peu importe quand
warten *var-nénn* attendre
warum *va-roum* pourquoi
was vas quoi
waschen (sich) zicH *va-chénn* laver (se)

Wäscherei f *vè-cheu-ray* lavomatique
Wasser n *va-ser* eau
wasserdicht *va-ser-dicHt* étanche
Wasserfall m *va-ser-fal-*chute d'eau
Wasserflasche f *va-ser-fla-che* bouteille d'eau
Wasserhahn m *va-ser-hân* robinet
Wechselgeld n *vék-seul-guélt* monnaie
Wechselkurs m *vek-sel-kours* taux de change
wechseln *vek-seln* changer
Wecker m *vé-ker* réveil
Weg m vék chemin
wegen *vé-guén* à cause de
Weihnachten n *vay-naRch-ténn* Noël
Weihnachtsfeiertag (erster) m *vay-naRchts-fay-er-tâk* (ers-ter) jour de Noël
weil vayl parce que
Wein m vayn vin
weiß vays blanc
weit vayt loin
wenig *vé-ni-gue* peu
weniger *vé-ni-guér* moins
wenn vénn quand • si
wer vér qui
Wert m vert valeur (prix)
Westen m *ves-ténn* ouest
Wetter n *ve-ter* temps (météo)
wichtig *vicH-ticH* important
wie vî comment
wieder *vî-dér* encore
wiegen *vî-guénn* peser
Wildschwein n *vilt-chvayn* sanglier
willkommen *vil-ko-ménn* bienvenu
windig *vin-dicH* venteux
Winter m *vin-ter* hiver
wir vîr nous
wissen *vî-sénn* savoir
Wissenschaft f *vi-sénn-chaft* science
wo vô où
Wochenende n *vo-cHénn-énn-de* week-end
Wodka m *vot-*ka vodka
wohnen *vô-nénn* habiter

Wohnung f *vô*-noung *appartement*
Wohnwagen m *vôn*-vâ-guén *camping-car*
Wolke f *vol*-keu *nuage*
Wolle f *vo*-le *laine*
wollen *vo*-lénn *souhaiter • vouloir*
Wort n *vort mot*
Wörterbuch n *euhr*-ter-bouRch *dictionnaire*
wunderbar *voun*-der-bâr *merveilleux*
wünschen *vun*-chénn *souhaiter*

Z

Zahl f *tsâl chiffre*
Zahlung f *tsâ*-loung *paiement*
Zahnarzt/Zahnärztin m/f *tsân*-artst/
tsân-erts-tin *dentiste*
Zahnbürste f *tsân*-burs-te *brosse à dents*
Zahnpasta f *tsân*-pas-ta *dentifrice*
zeigen *tsay*-guénn *montrer*
Zeit f tsayt *temps*
Zeitschrift f *tsayt*-chrift *magazine*
Zeitung f *tsay*-toung *journal*
Zeitungshändler m *tsay*-toungks-hénn-dler
marchand de journaux
Zeitungskiosk m *tsay*-toungks-kî-osk *kiosque
à journaux*

Zeitunterschied m *tsayt*-toun-ter-chît
décalage horaire
Zelt n tselt *tente*
zelten *tsél*-ténn *camping (faire du)*
Zeltplatz m *tsélt*-plats *emplacement de tente*
Zentimeter m tsénn-ti-mé-ter *centimètre*
Zentralheizung f tsénn-trâl-hay-tsoung
chauffage central
Zentrum n *tsénn*-troum *centre*
zerbrechlich tser-brecH-licH *fragile*
ziehen *tsî*-énn *tirer*
Zigarette f tsi-gua-rè-teu *cigarette*
Zimmer n *tsi*-mer *chambre*
Zirkus m *tsir*-kous *cirque*
Zoll m tsol *douane*
zu tsou *vers*
zu (viele) tsou *(fî-le) trop (de)*
Zug m tsouk *train*
zurück tsou-*ruk retour*
zurückkommen tsou-*ruk*-ko-ménn *retourner*
zusammen tsou-*za*-ménn *ensemble*
zweimal tsvay-*mâl deux fois*
zweite tsvay-te *second*
zwischen *tsvî*-chénn *entre*

A

B

C

D

INDEX

CATALOGUE LONELY PLANET EN FRANÇAIS

Guides de voyage

Afrique de l'Ouest
Afrique du Sud,
  Lesotho et
  Swaziland
Andalousie
Aquitaine et
  Pays basque
Argentine
Asie centrale
Australie
Bali et Lombok
Bolivie
Brésil
Budapest et
  la Hongrie
Bulgarie
Cambodge
Chili et île de Pâques
Chine
Corée
Corse
Costa Rica
Croatie
Cuba
Écosse
Égypte
Équateur et
  îles Galapagos
Estonie, Lettonie, et
  Lituanie
Grèce continentale
Guadeloupe et
  Dominique
Guatemala
Îles grecques et
  Athènes
Inde du Nord
Inde du Sud
Iran
Irlande
Italie
Japon
Jordanie
Kenya
Laos
Madagascar
Maroc

Martinique,
  Dominique et
  Sainte-Lucie
Mexique
Myanmar (Birmanie)
Népal
Norvège, Suède,
  Danemark et
  Finlande
Nouvelle-Calédonie
Ouest américain
Pérou
Portugal
Provence
Québec
République tchèque
  et Slovaquie
Réunion, Maurice et
  Rodrigues
Roumanie et Moldavie
Russie et Biélorussie
Sardaigne
Sénégal et Gambie
Sicile
Sri Lanka
Tahiti et la Polynésie
  française
Thaïlande
Toscane et Ombrie
Transsibérien
Tunisie
Turquie
Ukraine
Vietnam

Guides de villes

Barcelone
Berlin
Londres
Marrakech, Essaouira
  et Haut Atlas
Marseille et
  les calanques
Naples et la côte
  amalfitaine
New York
Rome
Venise

Les guides Citiz
(week-ends et
courts séjours)

Amsterdam
Barcelone
Bruxelles, Bruges,
  Anvers et Gand
Cracovie
Dubaï
Florence
Lisbonne
Londres
Madrid
Marrakech
Milan
New York
Paris
Pékin
Prague
Singapour
Tokyo
Venise

Guides de
conversation

Allemand
Anglais
Croate
Espagnol
  latino-américain
Grec
Italien
Japonais
Mandarin
Portugais et brésilien
Russe
Turc
Vietnamien

Petite conversation en

Anglais
Espagnol
Italien
Allemand